AS CONSPIRAÇÕES PARA
MATAR HITLER

AS CONSPIRAÇÕES PARA MATAR HITLER

OS HOMENS E MULHERES QUE TENTARAM MUDAR A HISTÓRIA

RICHARD DARGIE

The Plots to Kill Hitler - The Man and Women Who Tried to Change History
Copyright © Arcturus Holdings Limited

Os direitos desta edição pertencem à
Pé da Letra Editora
Rua Coimbra, 255 - Jd. Colibri - Cotia, SP, Brasil
Tel.(11) 3733-0404
vendas@editorapedaletra.com.br / www.editorapedaletra.com.br

Esse livro foi elaborado e produzido pelo

ARANDA
ESTÚDIO
☎ (11) 93020-0036

TRADUÇÃO Fabiano Flaminio
DESIGN E DIAGRAMAÇÃO Adriana Oshiro
REVISÃO Larissa Bernardi e Thaís Coimbra
COORDENAÇÃO Fabiano Flaminio

Impresso no Brasil, 2020

Dados Internacionais de Catalogação na Publicação (CIP)
Câmara Brasileira do Livro, SP, Brasil
Maria Alice Ferreira - Bibliotecária - CRB-8/7964

Dargie, Richard

As conspirações para matar Hitler : os homens e mulheres que tentaram mudar a história / Richard Dargie. -- 1. ed. -- Cotia, SP : Pé da Letra, 2020.

ISBN: 978-65-86181-40-1.

1. Alemanha - Política e governo - 1933-1945 2. Hitler, Adolf, 1889-1945 3. Hitler, Adolf, 1889-1945 - Morte e funeral 4. Hitler, Adolf, 1889-1945 - Últimos anos I. Título.

20-37161   CDD-943.086092

Índices para catálogo sistemático:
1. Hitler, Adolf : Chefes de Estado : Período do 3º Reich : Alemanha : História   943.086092

Créditos de imagem
Getty Images: 8, 17, 23, 35, 69, 76, 86, 89, 91, 94, 109, 116, 119, 133, 139, 163, 173
Shutterstock: 18, 31, 41, 45, 59, 66, 188
ED Archive: 55
Alamy: 63, 99

Todos os direitos reservados. Nenhuma parte desta publicação pode ser reproduzida, armazenada num sistema de recuperação, ou transmitida, de qualquer forma ou por qualquer meio, eletrônico, mecânico, fotocopiador, de gravação ou outro, sem autorização prévia por escrito, de acordo com as disposições da Lei 9.610/98. Qualquer pessoa ou pessoas que pratiquem qualquer ato não autorizado em relação a esta publicação podem ser responsáveis por processos criminais e reclamações cíveis por danos. Esta editora empenhou-se em contatar os responsáveis pelos direitos autorais de todas as imagens e de outros materiais utilizados neste livro. Se, porventura, for constatada a omissão involuntária na identificação de algum deles, dispomo-nos a efetuar, futuramente, os possíveis acertos.

Sumário

Introdução 7

Capítulo 1
4 de Novembro 1921: *O Assassino do Beer Hall* 11

Capítulo 2
1923-33: *Tiros Aleatórios* 19

Capítulo 3
Janeiro de 1932: *O Incidente de Kaiserhof* 27

Capítulo 4
1933: *O Falso Stormtrooper* 33

Capítulo 5
Primavera de 1933: *Reação Vermelha* 39

Capítulo 6
1930-34: *Conspirações Internas* 51

Capítulo 7
1933-38: *Resistência na Nova Alemanha* 61

Capítulo 8
1935-38: *Conspirações Inexplicáveis* 71

Capítulo 9
Setembro de 1938: *Conspirando pela Paz* 83

Capítulo 10
Novembro de 1938: *O Assassino Cristão* 97

Capítulo 11
20 de abril de 1939: *Um Quarto com Vista* 107

Capítulo 12
8 de novembro de 1939: *Explodindo o Bierkeller* 115

Capítulo 13
Final de 1939: *Os Enredos da Falsa Guerra* 125

Capítulo 14
23 de junho de 1940: *Um Austríaco em Paris* 131

Capítulo 15
1941-43: *Conspirando nas Estradas para Moscou* 137

Capítulo 16
21 de março de 1943: *A Exibição de Bombardeiros* 147

Capítulo 17
11 de março de 1944: *De Volta ao Berghof* 155

Capítulo 18
20 de julho de 1944: *Stauffenberg* 163

Capítulo 19
Mulheres contra Hitler 179

Capítulo 20
Julho de 1944 a abril de 1945: *Consequências e Retribuição* 187

Índice 194

Introdução

Em 16 de agosto de 1914, Adolf Hitler se alistou no 16º Regimento de Infantaria da Reserva da Baviera. Seus documentos de mobilização foram publicados em 7 de outubro. Após várias semanas de treinamento básico no sul da Alemanha, Hitler e seus novos camaradas chegaram à Frente Ocidental e foram instantaneamente lançados na Primeira Batalha de Ypres. Até o final de novembro, o 16º havia perdido mais de 2.500 homens mortos ou gravemente feridos. Restavam apenas 700 homens de sua força original de 3.300. Um dos poucos sortudos foi Hitler, que observou que sua companhia de 250 homens havia sido reduzida para 42 depois de pouco mais de um mês de guerra moderna. Enquanto tantos ao seu redor haviam morrido em seu primeiro combate, ele evitou a morte e a mutilação. Foi nessa época que ele começou a acreditar que era um 'sobrevivente nato'.

Um histórico de salvação de última hora

Nos quatro anos seguintes, Hitler esteve presente em muitas das ações mais sangrentas da Frente Ocidental como soldado da linha de frente e, mais tarde, como corredor, levando mensagens de e para o QG regimental. Ele tinha dois 'acontecimentos' que considerava milagrosos. Em 11 de fevereiro de 1915, uma granada aliada de 15 cm (6 pol.) caiu diretamente no esconderijo 'dele'. O abrigo foi destruído, mas não houve vítimas e um Hitler incólume foi capaz de sair da lama e dos detritos. No dia 25 de setembro do mesmo ano, ele estava comendo no front com vários camaradas quando, mais tarde, alegou ter ouvido uma voz interior dizendo para afastar-se e ficar mais abaixo na trincheira.

INTRODUÇÃO

Adolf Hitler em seu uniforme de campo durante a Primeira Guerra Mundial, por volta de 1915.

Segundos depois, uma granada explodiu acima do ponto em que Hitler estava sentado. Todos os seus companheiros morreram. A maioria dos soldados teria atribuído sua sobrevivência à sorte, ao acaso ou à felicidade aleatória da guerra. Para Adolf Hitler, no entanto, era uma evidência clara de que ele estava sendo preservado para um propósito. Mais tarde, ele lembrou-se daqueles incidentes durante os anos de guerra como o marco em sua vida quando venceu o medo da morte: a vontade de sobreviver era agora seu 'mestre indiscutível. Agora, o destino poderia trazer os testes finais sem meus nervos quebrando ou minha razão falhando.'

Esse destemor interior explica a atitude imprudente de Hitler em relação à sua segurança quando ele estava envolvido em cruéis brigas políticas de rua no início da década de 1920. Ele adorava usar a força física para subjugar seus oponentes. Nos salões de cerveja de Munique, ele frequentemente enfrentava abertamente seus rivais em reuniões públicas, o que acabava em brigas sangrentas. Ele foi o primeiro político europeu a adotar os céus em um ponto na história da aviação quando voar ainda era uma maneira perigosa de viajar. Seus raios brilhantes cruzavam a Alemanha nos mais rápidos carros disponíveis e logo fizeram parte da "lenda de Hitler". Alguns julgaram-no corajoso, muitos consideravam-no imprudente. Ele, sem dúvida, desfrutou de uma fatia generosa de sorte, especialmente quando se tratava de evitar os muitos inimigos que queriam eliminá-lo.

Uma proteção especial

Muitos tipos diferentes de pessoas tentaram matar Hitler. Alguns conspiradores eram políticos adversários da esquerda, enquanto outros eram nazistas que ficaram descontentes com sua liderança. Alguns pretensos assassinos eram simplesmente homens e mulheres éticos que acreditavam que Hitler e sua política eram maus. Nos últimos anos do Terceiro Reich, a maioria dos que tentaram liquidá-lo eram patriotas alemães que acreditavam que ele estava arrastando o país para a destruição. O próprio Hitler sabia que se seus inimigos fossem determinados o suficiente, eles passariam por todos os guardas de segurança no Reich e o matariam. Ele acabaria se cercando com tantos guardas quanto qualquer outro ditador da história, mesmo confiando em seu profundo sentimento intuitivo de que estava sob alguma proteção especial, a qual ele chamava *Vorsehung* ou Providência. Sua imensa autoconfiança ajuda a explicar a atitude casual e indiferente que ele, às vezes, adotava em relação à sua própria segurança,

INTRODUÇÃO

particularmente quando estava entre seu 'próprio povo' em sua terra adotiva da Baviera. Também ajuda a explicar os sérios riscos que ele assumiu no Front Oriental, na Segunda Guerra Mundial, realizando muitos voos perigosos para posições na linha de frente: pelo menos um piloto de caça soviético colocou balas em seu Condor.

Este livro narra muitos dos planos para matar Hitler e as tentativas dos conspiradores de derrotar seu senso de invencibilidade. Ao fazê-lo, fornece uma visão das constantes cautela, suspeita e astúcia que foram elementos-chave de seu caráter e essenciais para sua autopreservação. Descreve as muitas instâncias do acaso e, às vezes, da farsa que frustraram os conspiradores e salvaram o Führer por mais um dia. Também explora o contexto histórico de cada uma dessas tramas para ajudar a explicar como um dos ditadores mais cruéis e odiados da história sobreviveu por tanto tempo e, finalmente, conseguiu escolher seu próprio momento de partir de um mundo que ele mergulhou em guerra e caos.

CAPÍTULO 1

4 de Novembro de 1921
O Assassino do Beer Hall

O salão estava cheio. Cerca de 800 homens tinham lotado o Festsaal ou sala cerimonial, no piso superior do Hofbräuhaus. O orador daquela noite estava no fim da longa sala abobadada, sozinho em uma grande mesa de cerveja de madeira que se projetava para o público. Ele usava um casaco e gravata pretos e tinha um bigode pequeno e aparado. Depois dele ter falado por alguns minutos, um homem no meio do corredor levantou-se e subiu na cadeira. Ele usava roupa de um operário de fábrica. Olhando para os rostos expectantes dos homens sentados ao seu redor, ele podia ver que eles eram, em sua maioria, homens trabalhadores como ele. Para um homem, eles eram socialistas e comunistas. Eles não tinham vindo para ouvir o orador daquela noite, mas para pôr um fim à sua carreira. O trabalhador gritou uma palavra - Freiheit! Liberdade. Era o sinal para que um enorme rugido saísse das gargantas da multidão de homens furiosos. Eles tinham sido alimentados para uma luta. Cada homem já tinha adicionado vários litros de cerveja ao poço de agressão dentro de si mesmo. Eles tinham guardado as suas canecas de cerveja vazias debaixo das suas cadeiras e agora submetiam o inimigo a uma salva pesada de vidro e mísseis de grés, atirados com velocidade e movidos pelo ódio. Adolf Hitler, mais tarde, comparou aquele momento a estar debaixo de fogo de uma salva de howitzer shells nas trincheiras da Grande Guerra. Uma vez terminado o bombardeio de artilharia, muitos dos trabalhadores começaram a abrir as suas mochilas e a retirar delas armas de combate: compridos canos de metal e soqueiras de latão. Os mais levemente armados eram os companheiros com

CAPÍTULO 1

pernas de cadeira partidas. Hitler e os seus apoiadores tinham entrado numa emboscada e estavam completamente em desvantagem numérica.

Os organizadores socialistas e comunistas secretamente tinham lotado o salão com trabalhadores de três grandes fábricas em Munique: Kustermann Fundição de Ferro e Aço, Maffei Engenharia de Locomotivas e Isaria Medidores Elétricos. Uma mensagem telefônica para avisar Hitler havia chegado tarde demais, uma bagunça causada pelo fato de o Partido Nazista ter se mudado para uma nova sede naquele mesmo dia e seu escritório ainda estar sem telefone. Alguns stormtroopers correram para o Hofbräuhaus para resgatar seu líder e descobriram que um grosso cordão de policiais não estava deixando ninguém entrar no salão superlotado. Hitler reconheceu o perigo que enfrentou assim que chegou. Ele examinou as fileiras reunidas de seus oponentes, que estavam "apunhalando-o com os próprios olhos". Lembrando daquela noite três anos depois, em seu livro Mein Kampf, ele descreveu 'os inúmeros rostos virados para mim com ódio sombrio', rostos que ameaçavam 'acabar conosco e calar nossa boca para sempre '.

A batalha da cervejaria

Na versão escrita dos eventos que se seguiram, Hitler transformou uma briga de cervejaria, algo bastante comum em uma cidade atormentada pela violência política, em um momento de nobre heroísmo. Sua narração do soco ecoou deliberadamente a história dos 300 espartanos na batalha das Termópilas. Hitler ordenou que os poucos homens que estavam com ele, mais ou menos 45, se alinhassem em ordem militar e ele, então, lhes deu o que mais tarde considerou o verdadeiro discurso fundador do Movimento de Hitler. Essa era a chance deles de provar sua lealdade, tanto para ele quanto para a Nacional Crença Socialista. O que quer que acontecesse, ele permaneceria no salão até o fim.

Se algum deles escolhesse abandonar o campo de batalha, Hitler pessoalmente arrancaria a insígnia suástica desonrada do braço daquele homem. Mas, disse o futuro Führer, ele não acreditava que um único homem fosse um covarde. E ele garantiu à sua tropa reunida: 'Nenhum de nós deve deixar este salão a menos que sejamos mortos.' Quando a briga começou, os homens de Hitler invadiram pelotões de dez ou doze e se lançaram contra os imensamente superiores inimigos, 'atacando como lobos'. Nenhum de seus homens emergiu da briga sem estar coberto de sangue e muito marcado. Hitler, mais tarde, escolheu seu motorista Emil Maurice e seu secretário Rudolf Hess por atos de galantaria conspícua, ou talvez selvageria.

De acordo com o relato de Hitler sobre os eventos daquela noite, o tumulto continuou por 20 minutos até que os ruídos infernais da batalha campal e os uivos de homens gravemente feridos foram silenciados por dois estampidos. Alguém na multidão havia disparado uma arma, um suposto assassino que planejara atirar em Hitler. Ele tinha limpado e carregado uma pistola e levou-a para a reunião no bolso do casaco. Então, ele se sentou no corredor, bebendo com seus camaradas enquanto ouvia as considerações iniciais de Hitler, esperando o momento de atirar e matar os fascistas loucos. No meio do tumulto, seus tiros erraram o alvo. Nos próximos anos, nazistas veteranos da Batalha da Hofbräuhaus embelezariam sua história, como muitos velhos soldados costumam fazer. Eles se lembrariam de seu líder de pé, firme, tomando a arma e devolvendo o fogo ao assassino. Hitler, certamente, neste momento de sua vida, carregava uma arma diariamente, mas em suas memórias ele não fez menção a usá-la naquela noite. Ele se contentou em elogiar seus 'meninos sangrentos', que derrotaram e perseguiram o inimigo em um salão que agora parecia 'ter sido atingido por uma bomba '. Como eles se reuniram para ter seu sangue pingando e suas feridas enfaixadas, o grande orador austríaco recompensou suas tropas subindo de volta na mesa de madeira e entregando os últimos 20 minutos de seu discurso interrompido.

O alvo

Em 1921, Adolf Hitler se tornou um alvo. Foi o ano em que ele emergiu como uma figura significativa na política explosiva da Alemanha de Weimar. Em 3 de fevereiro daquele ano, ele falou com mais de 6.500 pessoas no enorme salão permanente da famosa Circus Krone de Munique. Os nacional-socialistas, identificados por suas braçadeiras vermelho e branco com a ainda desconhecida Hakenkreuz (suástica) preta, situados nas portas da vasta arena, coletaram a taxa de inscrição com uma marca de todos que vieram ouvir o orador dinâmico que estava fazendo seu nome no sul da Alemanha. Veteranos da Primeira Guerra Mundial, estudantes e os desempregados podiam entrar sem pagamento, mas grandes pôsteres nas portas avisavam aos judeus que eles não eram bem-vindos e não seriam admitidos. Um paredão maciço de apoiadores fervorosos pressionou em direção a Hitler enquanto ele caminhava ao pódio e quando ele avançou para a plataforma para começar a falar, ele teve uma recepção eufórica da massa reunida em sua frente. Era a maior audiência que ele havia conseguido em sua breve carreira política. O fluxo de seu discurso foi repetidamente interrompido por ondas de aplausos e explosões emocionais de apoio. Ao proferir sua palavra final da noite, a multidão espontaneamente irrompeu na popular Deutschland Über Alles, uma música que logo se tornaria o hino nacional alemão.

Mais tarde, em Mein Kampf, Hitler lembrou-se da importância especial daquela noite de fevereiro de 1921. Seu sucesso naquela noite e em mais dois comícios no Circus Krone, no final daquele mês, sinalizaram um momento chave na história da Alemanha em que "não podemos mais ser ignorados". Em 29 de julho de 1921, Hitler tornou-se presidente do Partido Nacional Socialista dos Trabalhadores Alemães. Com alguma habilidade de manobra, ele afastou seus fundadores originais e estabeleceu o controle total sobre o movimento nazista. Naquela noite, seus seguidores se dirigiram a ele pela primeira vez como Führer, nosso líder. Graças ao seu dinamismo pessoal, sua unidade organizacional, sua eloquência e uma mensagem sintonizada com o desespero da época, os membros do Partido estavam subindo rapidamente. Novas filiais estavam sendo abertas em toda a Baviera, nas grandes cidades comerciais, como Rosenheim e Augsburg. Ele começou a atrair doadores de direita ricos em Berlim e seu apoio ajudou a publicar o jornal do Partido Völkischer Beobachter, ou Observador do Povo, em uma base financeira sólida.

Em outubro, ele fez mais de 30 discursos importantes em todo o sul da Alemanha, geralmente eletrificando seu público. Em cada um desses discursos, ele deixou claro que estava na política para esmagar e acabar com os inimigos internos que derrubaram a Alemanha: judeus, comunistas, democráticos burgueses da República de Weimar e os 'criminosos de novembro' que assinaram o vergonhoso Armistício e o Acordo de Paz de Versalhes. Ele também deixou claro desde o início que seus métodos não seriam democráticos ou mesmo legais. Seus inimigos entenderam a mensagem e reagiram. O nível de violência nas reuniões nazistas aumentou. Durante o outono de 1921, seus oponentes se prepararam para um confronto decisivo com Hitler no Hofbräuhaus. Eles escolheram atacar em 4 de novembro. Aquela foi a noite em que o NSDAP, o Partido Nacional Socialista dos Trabalhadores Alemães, nasceu verdadeiramente, em um violento choque de sangue e brutalidade.

Os campos de batalha

Ao longo de sua história, Munique foi famosa por suas cervejarias e seus muitos albergues, adegas e jardins de cerveja. Por quase 500 anos, eles serviram aos inúmeros comerciantes e dezenas de exércitos que passaram pela cidade em rota para a Áustria e Itália. No final de 1800, Munique rapidamente industrializou-se e sua população aumentou. As maiores cervejarias ganharam dinheiro construindo vastos salões de bebida que ofereciam cerveja, comida e entretenimento ao crescente número de moradores da cidade. Nos anos conturbados após a Primeira Guerra Mundial, esses salões se tornaram pontos de pressão política na luta entre esquerda e direita. O primeiro discurso político importante de Hitler foi proferido no Hofbräukeller, em outubro de 1919, para cerca de 130 ouvintes. Ele foi encorajado: a maioria das reuniões anteriores do Partido tinha sido assistida por apenas um punhado de membros do comitê.

Hitler, rapidamente, percebeu que a cervejaria era um lugar onde ele poderia usar habilidades para projetar sua fúria polêmica e atrair novos membros para seu movimento político. Ele também entendeu que nos corredores ele podia zombar, incomodar, intimidar e até agredir seus oponentes políticos quando eles estavam tentando falar. Como um ex-soldado, ele não teve nenhum escrúpulo em usar a violência física como arma política. Não havia nada incomum nisso na Alemanha do pós-guerra. Motins e brigas de rua eram comuns, assim como assassinatos políticos. Houve pelo menos 354 assassinatos políticos na Alemanha entre 1919 e 1922 e um grupo de direita, Operação Consul, especializado em tais assassinatos. Dois de seus membros assassinaram Matthias Erzberger, um político do Partido do Centro Católico que teve a má sorte de ser enviado para a França no final de 1918, para negociar e colocar fim ao Armistício assinado com os Aliados na Floresta de Compiègne, em 11 de novembro. Como resultado, ele se tornou um dos derrotistas 'criminosos de novembro' a quem Hitler desprezava como traidores. Em 3 de maio de 1921, Hitler exigiu que Erzberger fosse preso e julgado por traição se colocasse os pés na Baviera. Mais tarde, naquele verão, Erzberger foi morto a tiros em um feriado, durante uma caminhada com a família na Floresta Negra. Ao ouvir a notícia, Hitler expressou sua alegria e profunda satisfação em um discurso no Hofbräuhaus.

Hitler também não se esquivou de se envolver diretamente no trabalho sujo da Política de Weimar. Em agosto de 1921, ele liderou um esquadrão de seguidores em um porão cervejeiro para interromper um discurso da Liga da Baviera, um grupo que queria criar uma Baviera mais autônoma em um Estado federal frouxo alemão. O orador da Liga, Otto Ballerstedt, foi espancado e Hitler terminou a noite sob interrogatório na sede da polícia. Em 14 de setembro, o próprio Hitler atacou fisicamente Ballerstedt e o feriu gravemente no Löwenbräukeller. Ele estava com raiva pelo conteúdo do discurso de Ballerstedt e, dizia-se, enciumado pela fluência e poder de sua oratória. Hitler foi preso, considerado culpado por aborrecimento público e sentenciado a 100 dias na prisão de Stadelheim. Ele também foi condenado a pagar 1.000 marcos de multa. Muito mais tarde, em junho de 1934, Hitler se vingaria e acertaria contas antigas lembradas como a Noite das Longas Facas. Ballerstedt foi assassinado, provavelmente em Dachau, na Baviera, e seu corpo foi jogado em uma floresta próxima.

Hitler adquiriu muito conhecimento com esses primeiros confrontos em cervejarias. Acima de tudo, ele aprendeu com os dois tiros que lhe faltaram em 4 de novembro 1921. Hitler gostava de pensar que estava protegido por seu senso de destino, mas depois de seu contato próximo com a morte no Hofbräuhaus, ele sabia que também tinha que pensar seriamente em se proteger de assassinos.

Protegendo o Führer

Nos primeiros meses como líder do Partido Nazista, a primeira linha de proteção de Hitler era a arma carregada que ele mantinha visivelmente na cintura. Sua segunda linha de defesa era a gangue de velhos camaradas, comparsas e aliados políticos que ele reunira em seu entorno. Esse núcleo interno não oficial do NSDAP podia ser visto, na maioria dos dias, ao redor das mesas reservadas nos refúgios favoritos de seu líder em Munique: Osteria Baviera, onde Hitler costumava almoçar quando estava na cidade, Café Heck off Ludwigstrasse, onde ele tomava chá à tarde, o Café Neumayr perto do mercado de alimentos da cidade e o Hofbräuhaus. Nestes paraísos relativamente seguros, ele era guardado por hitleristas vigilantes e comprometidos, todos armados. Além de Maurice e Hess, esses camaradas incluíam o ex-sargento do exército de Hitler, Max Amann, o lutador anticomunista Christian Weber, que gostava de levar um chicote de rinoceronte ou andar de cavalo sempre que estava patrulhando as ruas de Munique e o popular lutador Ulrich Graf, que se certificava de que um ou dois homens musculosos, com experiência militar, estivessem sempre de prontidão quando Hitler precisasse deles. Na versão nazista oficial da história do Partido, outra camada de proteção a Hitler começou a se unir a Emil Maurice no final de 1920.

Stormtroopers!

Esse foi a Sturmabteilung (SA) ou Storm Destachment, inicialmente conhecida com um raro flash de humor nazista como a Divisão de Ginástica e Esportes do NSDAP. Nos primeiros dias, às vezes, era simplesmente chamada de Guarda Hitler para diferenciar de outros grupos da SA que não tinham nada a ver com

Hitler. Os nazistas não tinham direitos autorais sobre um termo que se originou no exército do Kaiser na guerra, entre 1914 e 18. Os primeiros destacamentos foram pequenos esquadrões de elite, tropas de choque alemãs treinadas para perfurar profundamente a linha aliada e quebrar através das trincheiras fortemente protegidas. Após a guerra, o nome foi usado pelo Social-democratas da Baviera, por seu grupo de cerca de 4.000 homens que atuaram como guardas e seguranças em comícios e reuniões socialistas nos caóticos anos do pós-guerra.

O desenvolvimento da Nacional Socialista SA deve muito a Hermann Ehrhardt, um rico defensor de causas de direita que tinha ligações com os emergentes fascistas na Itália. Ele havia estabelecido o cônsul da organização terrorista, que provavelmente estava por trás do assassinato de Erzberger e foi definitivamente responsável pela morte de Walther Rathenau, ministro das Relações Exteriores Judaico-Alemão da jovem República de Weimar, em 1922.

Hitler aparece, em 1925, usando traje tradicional da Baviera, preferido pelos alemães das montanhas e popular na fraternidade dos bebedores de cerveja. Ele é retratado com, da esquerda para a direita, Emil Maurice, Herman Kriebel, Rudolf Hess e Friedrich Weber.

CAPÍTULO 1

Ehrhardt deu a Hitler dinheiro e experiência na forma de Hans Ulrich Klintzsch, um jovem entusiasta oficial da marinha que começou a organizar uma SA de direita para proteção e interrupção dos deveres nas ruas e nas cervejarias de Munique. Ele estaria à disposição de Ehrhardt e Hitler.

A princípio, essa Sturmabteilung de direita estava mal equipada. A maioria de seus membros estava armado apenas com cassetetes e facas pequenas, eles não tinham uniformes adequados e apareciam para o serviço em suas roupas civis, enfeitadas com uma braçadeira de suástica. A maior parte deles mal tinha saído da adolescência e o comandante Klintzsch tinha apenas 22 anos. No entanto, Hitler viu o tremendo potencial da organização e, no ano seguinte, tão logo conseguiu dinheiro, 240 jovens 'soldados' da SA foram abastecidos com seus primeiros uniformes, inspirados nas roupas de esqui da moda do período: boné de esqui cinza, jaqueta e calça de montaria resistentes. Eles também receberam bicicletas para melhorar sua mobilidade pelas ruas de Munique. Hitler teve o cuidado de participar de suas reuniões regularmente e aproveitou todas as oportunidades para inspirar esses rapazes a 'atos de defesa nacional' contra quaisquer judeus e socialistas que eles encontrassem. Em 4 de novembro de 1921, na vitoriosa Batalha da Hofbräuhaus, a SA confirmou sua utilidade e sua lealdade a Hitler. Essa nova guarda de Hitler seria uma ferramenta chave para espalhar as ideias do Partido Nazista e proteger seu líder, pelo menos até ele ter tempo e recursos para criar uma máquina de segurança mais eficaz.

Na língua antiga do sânscrito, a suástica significa "bem-estar", mas os nazistas fizeram dela um símbolo do mal.

CAPÍTULO 2

1923-33
Tiros Aleatórios

No final de abril, no caótico ano de 1923, um Mercedes vermelho estiloso contendo dois homens estava correndo para o norte, em direção a Berlim. O carro estava viajando rápido demais para as más condições da estrada. Perto de Leipzig, o motorista viu um obstáculo à frente. Ao diminuir a velocidade, ele percebeu que os homens parados ao redor da barreira estavam armados. Eles também estavam usando braçadeiras vermelhas para demonstrar sua lealdade ao KPD, o Partido Comunista Alemão. O motorista era Ernst Hanfstaengl, um empresário de 36 anos de origem alemã que passou muito de sua vida nos EUA e, como resultado, falava alemão e inglês americano. Ele mostrou aos homens seu passaporte americano e explicou que ele era um americano fabricante de papel que procurava investir na Alemanha. Para ganhar favores com os homens armados ao redor de seu carro, ele acrescentou que esperava criar empregos bem remunerados para jovens desempregados. O personagem no banco do passageiro, um sujeito cansado e pálido, com um bigode curto, embrulhado em um sobretudo, era um de seus funcionários. Convencidos de que os dois homens no carro eram inofensivos, os homens armados acenaram para que seguissem viagem. Se eles tivessem reconhecido o Hitler exausto, eles teriam atirado nele imediatamente.

Tiros de todas as direções
Não foi o único contato com a morte que Hitler teria naquele frenético ano. Pelo menos três assassinos tentariam matá-lo em 1923: um na Turíngia, um em Leipzig e outro em Tübingen. Em duas dessas ocasiões foram disparados tiros

enquanto ele estava viajando em seu carro. A terceira tentativa veio enquanto ele estava se dirigindo a uma multidão. Após cada ataque, amigos e seguidores íntimos pediram que ele tomasse mais cuidado com sua segurança em locais públicos, mas Hitler gostava de rir de suas preocupações. Em particular, porém, ele aceitou os conselhos e sabia que novas organizações nazistas seriam criadas para sua proteção. Hitler tinha o desejo de projetar uma imagem de si mesmo como uma força indestrutível, um vencedor heroico que sobreviveu a quatro anos de guerra nas trincheiras, bem como a inúmeras batalhas de rua contra seus inimigos comunistas. Mas ele também queria ser visto como um líder que era popular. Sempre que possível ele tinha que ser visto à vontade entre seus camaradas. Muitos guardas ao seu redor diluiriam seu apelo político a um homem de ação dinâmico e ele sabia pela leitura da história que nenhuma quantidade de seguranças poderia impedir um assassino determinado de chegar ao seu alvo. Em vez disso, confiava em seu profundo senso de destino para proteção enquanto desenvolvia suas próprias estratégias para evitar a bala do assassino. Elas provariam ser muito eficazes nos próximos 20 anos.

O preço do sucesso

No verão de 1932, Hitler estava perto de realizar seu sonho. Seu partido estava trabalhando com um crescente senso de propósito em relação às eleições de Reichstag que ocorreriam no último dia de julho. Hitler e seus seguidores sabiam que tinham uma forte chance de se tornar o maior partido da Alemanha e teriam uma participação no governo. Qualquer pessoa interessada na política alemã podia sentir que a suástica estava prestes a lançar sua sombra irregular sobre a terra. Naturalmente, seu iminente triunfo aterrorizou seus oponentes e estimulou muitos a ações diretas. Naquele verão, houve um retorno aos níveis de terror político que a Alemanha havia sofrido nos primeiros anos depois da Guerra perdida. Somente em julho, houve 86 mortes violentas por atos políticos. Destas, 30 eram de membros do KPD e 38 de apoiadores nazistas. A própria hierarquia nazista admitiu ter conhecimento de mais de 15 conspirações contra seu líder no período entre o verão de 1932 e o verão de 1934. Na maioria dessas ocasiões, tiros foram disparados contra Hitler enquanto seu carro acelerava a caminho de seu próximo compromisso. Certamente, havia muitos outros ataques planejados dos quais a liderança nazista não sabia nada.

Ele não estaria mais seguro se viajasse de trem. Em 15 de março de 1932, Hitler precisava viajar de Munique para Weimar, onde ele planejava falar a

1923-33: TIROS ALEATÓRIOS

respeito de seu sucesso nas eleições presidenciais preliminares dois dias antes. Com mais de 11 milhões de votos, ele chegou em um bom segundo lugar, por isso se qualificou para concorrer na segunda votação contra o venerável titular, marechal de campo Hindenburg. Naquela ocasião, Hitler decidiu fazer a viagem de 400 km de trem e não de carro: ele precisava discutir os últimos detalhes desse discurso crucial com seus companheiros de viagem, Joseph Goebbels e Wilhelm Frick, então Ministro do Interior na Turíngia. Ambos eram oradores dinâmicos e habilidosos e Hitler valorizou o conselho deles. A discussão foi subitamente interrompida, no entanto, por vários tiros, que quebraram uma janela de seu vagão. Isso não era um assalto aleatório. Os pistoleiros sabiam exatamente em qual vagão estavam os três nazistas e tinham planejado de acordo. Somente a velocidade do trem ao longo daquele trecho fez com que as balas perdessem o local real onde os três homens estavam sentados.

Uma multidão turbulenta

Hitler provavelmente chegou mais perto de encontrar a morte pública na corrida para a eleição de 1932. Em 29 de julho, ele visitou a cidade de Freiburg, no extremo oeste da Floresta Negra. Perto da França e da Suíça e um atrativo para turistas internacionais ricos de toda a Europa, e especialmente da Grã-Bretanha, Freiburg cosmopolita não era um território eleitoral natural para os nazistas. Esse era, portanto, exatamente o tipo de lugar que Hitler queria conquistar para sua causa. Mas, naquele dia, seus poderes de persuasão falharam em lançar seu feitiço habitual e a multidão estava quieta e parecia entediada. Em sua defesa, era seu terceiro grande discurso do dia e seu 45º desde que a campanha eleitoral havia começado, duas semanas mais cedo. A multidão ouviu obedientemente, mas sem os níveis de intensidade e entusiasmo esperados.

De repente, uma chuva de pedras emergiu da multidão reunida e voou em direção ao orador atônito e seus atendentes de pé ao lado de seu carro, uma delas acertou sua cabeça e o atordoou profundamente. A polícia local e guardas do SS estabeleceram um cordão e restauraram a calma enquanto Hitler lambeu suas feridas e partiu rapidamente para a bonita cidade termal de Radolfzell, no lago Constance, onde era aguardado com uma recepção calorosa e uma noite confortável para descansar. Quando os propagandistas nazistas, mais tarde, descreveram as brigas em Freiburg, eles representaram, é claro, Hitler pulando de seu carro e avançando firmemente em direção aos comunistas e judeus vis que ousaram atrapalhar seu dia, armado apenas com seu chicote de rinoceronte.

CAPÍTULO 2

Emboscado por seus próprios homens

Na verdade, Hitler teve a sorte de contestar a eleição. Ele já tinha escapado de um ataque perigoso em 20 de julho, na Pomerânia, na costa norte da Alemanha. Viajando de carro perto da antiga cidade de Stralsund, em Hansa, seu motorista tinha começado a frear antes de entrar em uma curva fechada, quando uma saraivada de tiros estourou do outro lado da estrada. Era uma emboscada cuidadosamente planejada, com vários pistoleiros esperando naquele ponto crítico da jornada de Hitler. Eles sabiam que ele viria naquela direção e escolheram bem o lugar. Embora muitos cidadãos da região relativamente pobre da Pomerânia apoiassem o KPD, Hitler considerou que esse ataque à sua vida não havia sido organizado por seus inimigos comunistas. Ele estava convencido de que era um trabalho interno. Muitos soldados da base da SA estavam ficando descontentes com seu grande líder.

Nos anos da depressão, no início dos anos 30, muitos dos seguidores originais de Hitler foram cada vez mais atraídos por vozes radicais dentro do Partido Nazista, como Ernst Röhm e os irmãos Strasser. Eles enfatizavam elementos do socialismo que fiziam parte da mensagem original do NSDAP. Esses nazistas "esquerdistas" estavam pedindo uma revolução nacional-socialista que redistribuísse terras e outros bens em sua direção. Por mais de uma década, a SA forneceu lealmente a força para limpar o caminho de Hitler para o poder, mas muitos de seus membros sentiram uma mudança na direção política de Hitler enquanto se aproximava da Chancelaria do Reich. Ele parecia correr o risco de se tornar um fantoche da tradicional instituição industrial e dos velhos generais.

Enquanto se afastava da emboscada na curva perigosa, em direção à sua próxima fala, em um noivado perto de Rostock, Hitler realmente não sabia quem eram os atiradores naquele dia, mas aproveitou seus planos de longo prazo para culpar dissidentes dentro da SA. Quando o público alemão foi às urnas no dia seguinte, Hitler estava em Nuremberg. Ele ainda estava agradecendo aos trabalhadores do Partido por seus esforços quando outra bala veio em sua direção, mas novamente errou o alvo. Uma vez que ele estava no poder, após 30 de janeiro de 1933, ele se sentiria mais seguro com tiros aleatórios como estes. Como Chanceler, Hitler desfrutou não apenas da proteção oferecida pelas próprias organizações nazistas, mas também pela segurança adicional da proteção policial estadual. No entanto, mesmo assim, pouco depois de assumir a chancelaria, nada impediu um atirador no reduto do NSDAP de Rosenheim de atirar em seu carro enquanto ele reunia amigos em uma rua residencial tranquila, a caminho de sua casa de verão em Obersalzberg.

Um carro adequado para um Führer

Entre 1925 e 1933, Hitler viajou incessantemente pela Alemanha em uma campanha eleitoral quase perpétua. Seu uso pioneiro de aeronaves lhe permitiu, de repente, aparecer em qualquer lugar da Alemanha. Ilustremente, ele ganhou a admiração de muitos eleitores alemães que o diferenciavam da maioria dos outros líderes da época. A maioria de suas viagens, no entanto, foi feita de carro. O Partido Nazista afirmou que Hitler viajou mais de 1,5 milhão de km (932.000 milhas) de carro entre o relançamento do NSDAP, em 1925, tornando-se Chanceler em 1933. Isso provavelmente foi um exagero, mas, de fato, ele passou longos dias e noites viajando de automóvel por todo o país, em estradas que ainda não haviam sido modernizadas pelo governo. Sua escolha de carro depois de 1930 também ajuda a explicar por que tantos incidentes de tiros aleatórios não deram em nada. A Mercedes-Benz entregaria 44 veículos especialmente modificados para uso do Führer e de seus mais antigos colegas entre 1933 e 1945.

Nos anos 30, seus veículos de escolha eram o Mercedes 770K e, mais tarde, o 540K24, mais elegante. Todos eles tinham para-brisas espessos e à prova de balas, blindagem de aço e pneus à prova de balas com várias câmaras. Motores de oito cilindros permitidos para velocidades acima de 153 km/h e, mais tarde, os modelos sobrealimentados poderiam transportar suas quatro toneladas de peso a 177 km/h para distâncias curtas pelo menos: suficientes para escapar de uma emboscada. Muitos de seus carros também estavam equipados com blindagem de aço sob o chassi, para proteção contra minas explosivas, e a maioria tinha compartimento com armas sobressalentes e munição. A espessura do aço usado para proteger o Führer móvel, provavelmente, indica o declínio interno da confiança do regime nazista durante o período do Terceiro Reich. Nos primeiros anos de Hitler no poder, foi usado aço de 4 mm (0,16 pol.) para protegê-lo, mas isso aumentou mais tarde para 8 mm (0,32 pol.) quando a guerra começou, em 1939; depois de Stalingrado, subiu para 18 mm (0,71 pol.). No entanto, até a blindagem mais fina usada em seus primeiros Mercedes era suficiente para protegê-lo de balas disparadas de uma pistola ou de um rifle e isso o salvaria de todos, exceto da explosão de uma bomba próxima. Ironicamente, grande parte da tecnologia de proteção desenvolvida pela Mercedes-Benz orientou o trabalho experimental realizado pela primeira vez para o famoso gangster americano Al Capone, durante a Era da Proibição.

CAPÍTULO 2

Membros da SA, a ala paramilitar do Partido Nazista, em uma reunião no início da década de 1930. As táticas de braço forte dos stormtroopers da SA haviam se mostrado cruciais para a estratégia de Hitler de subir ao poder.

Camaradas ao volante

Hitler podia confiar em seus carros para não o decepcionar e também podia confiar nos cinco homens que ele pessoalmente selecionou para atuar como seus motoristas entre 1925 e 1945. Seus dois primeiros motoristas, Emil Maurice e Julius Schreck, estiveram com ele desde o princípio. Maurice havia se juntado ao DAP proto-nazista apenas algumas semanas após Hitler, no final de 1919 e Schreck era o membro número 53 da nova NSDAP, em 1920. Os dois homens tiveram um papel importante no desenvolvimento das instituições do movimento nazista. Schreck foi um membro fundador da SA e Maurice foi seu primeiro líder. Ambos eram membros iniciais do SS, assim como Anton Loibl, que serviu como motorista de reserva de Hitler durante grande parte da década de 1920. Todos esses três homens participaram do Beer Hall Putsch de 1923 e passaram um tempo ao lado de Hitler na prisão de Landsberg.

Embora o quarto motorista, Sepp Dietrich, tenha se juntado ao Partido Nazista no final de 1928, ele rapidamente ganhou a confiança e a amizade de Hitler. Como Hitler, ele serviu durante todos os quatro anos da Primeira Guerra Mundial e recebeu a Cruz de Ferro duas vezes. Um homem inteligente e cruel que avançou rapidamente nas fileiras do SS, no devido tempo, ele comandou os guarda-costas pessoais de Hitler, a elite Leibstandarte SS Adolf Hitler. Neste papel, ele tinha acesso quase exclusivo ao Führer diariamente. Dietrich recompensou a confiança de Hitler no final de junho de 1934, quando desempenhou um papel importante na eliminação sangrenta dos 'errantes' da Liderança da SA.

O quinto motorista, Erich Kempka, era um oficial do SS muito mais jovem, com boas habilidades práticas em administração e treinamento completo como mecânico de automóveis. Inicialmente, ele atuou como motorista de reserva, encarregado de garantir que os oito principais veículos da frota de Hitler fossem implantados em toda a Alemanha para combinar com a exigente programação de viagens do líder. Mas, quando Schreck morreu repentinamente, em 1936, Kempka ocupou um lugar permanente ao volante do Führer. Hitler desfrutou de sua companhia e, com o tempo, Kempka tornou-se um membro útil do tribunal de Hitler. Sua última tarefa foi ajudar na cremação de Hitler e Eva Braun, no Jardim da Chancelaria do Reich, no último dia de abril de 1945.

O fanático por carro

Além da lealdade absoluta a Hitler e à causa nazista, esses cinco homens eram motoristas habilidosos e rápidos e todos passaram algum tempo se familiari-

CAPÍTULO 2

zando com os veículos da frota de Hitler. O mecânico Kempka, em particular, era conhecido por ter um profundo interesse no design dos "carros" de Hitler e gostava de discutir inovações e modificações com os engenheiros da Mercedes-Benz. Conta-se que ele mesmo testou o aço usado na blindagem com sua própria Luger. Todos os cinco também eram homens que podiam se comportar bem em uma situação difícil como uma emboscada ou, como aconteceu pelo menos duas vezes, em um acidente grave. Hitler escapou com uma lesão no ombro em 13 de março de 1930, quando seu carro colidiu em alta velocidade com um caminhão pesado, e no inverno de 1931, quando seu carro derrapou em direção a uma árvore, novamente em velocidade. Ele saiu desse acidente com pouco mais do que um dedo quebrado.

Seu amor por carros velozes teve um papel importante nos dois acidentes, pois ele repreendia seus motoristas se eles dirigissem muito devagar. Ele era um ávido fã de automobilismo e teve um grande prazer em abrir a Exposição Internacional de Automóveis de 1936, em Berlim. Mas ele ficou horrorizado com a perda de vidas nas estradas alemãs na década de 1930 e, finalmente, trouxe regulamentos de velocidade severos para reduzir o número de acidentes, que ele via como causadores de uma perda imperdoável de sangue ariano. A velocidade máxima em sua crescente rede de autoestradas eram meros 90 km/h, reduzidos na guerra a 80 km/h para economizar combustível. No entanto, seus próprios motoristas recebiam ordens de ignorar as restrições e manter o pé na estrada.

Os cinco motoristas/guarda-costas tiveram seu trabalho interrompido ao dirigir Hitler em locais urbanos. Aqui o Führer preferia viajar em um de seus lindos cabrioles azuis da meia-noite. Estes eram utilizados para desfiles urbanos, quando Hitler gostava de ficar de pé e receber a saudação da multidão. Mesmo sentado, ele insistia para que o teto ficasse abaixado, tornando-se um alvo fácil para qualquer atirador operando acima do nível da rua ou para uma granada atirada casualmente. Nessas ocasiões, ele confiava em sua crença e em seu destino, mas encorajava todos de sua equipe sênior a viajar em um Mercedes blindado, por segurança. Ele pediu carros personalizados adicionais da empresa como presentes para os mais importantes aliados; Mussolini, o general Franco e o ditador português Salazar. Um dos Mercedes não utilizado era mantido em sigilo e dizia-se que tinha sido reservado para a expedição final a Londres. Uma vez que a Grã-Bretanha fosse trazida para a esfera de influência alemã, o duque de Windsor precisaria dele quando fosse restaurado à sua posição legítima como rei Eduardo VIII.

CAPÍTULO 3

Janeiro de 1932
O Incidente de Kaiserhof

Em setembro de 1930, o Partido Nacional Socialista procurava inesperadamente por uma nova sede - em Berlim. Desde o seu início como Deutsche Arbeiterpartei ou Partido dos Trabalhadores Alemães, em 1919, baseava-se em Munique, usando uma sucessão de salas e escritórios laterais cada vez maiores quando os membros e as finanças cresceram. Em 1931, mudou-se para sua famosa Brown House, uma espaçosa mansão de três andares perto do centro da cidade, graças a doações de apoiadores generosos. A casa foi realmente comprada em 1930, mas sua abertura foi adiada por causa da atenção meticulosa que o detalhista arquiteto amador Adolf Hitler esbanjou em sua renovação. Enquanto isso, eventos tinham convencido Hitler de que agora ele e sua organização do Partido tinham que se mudar desde suas raízes na Baviera até a capital nacional, a 580 km ao norte na Prússia. O Partido precisava encontrar uma grande base em Berlim, pois acabara de ter ganhos impressionantes nas eleições do Reichstag, realizadas em 14 de setembro.

Dois anos antes, nas eleições da primavera de 1928, o NSDAP parecia estar desaparecendo. A economia alemã continuou a se fortalecer, reforçada pelos empréstimos americanos e pelo otimismo geral dos 'Loucos Anos 20'; a faísca perigosa de Hitler e seus stormtroopers tinha sido manchada com o caos e violência de um momento amargo do pós-guerra que agora estava passando para a história. Apesar de uma campanha vigorosa, em 1928 eles só reuniram 2,6% miseráveis dos votos expressos. Mas, em 1930, a depressão global viu os nazistas subirem de repente e se tornarem o segundo maior partido político da

Alemanha. O número de assentos nazistas no parlamento nacional aumentou de 12 para 107 e sua participação no voto popular cresceu quase oito vezes, para mais de seis milhões.

Hitler tinha passado de uma curiosidade regional a uma figura de significado nacional e agora ele precisava estar em Berlim, bem no coração das manobras de bastidores da Política de Weimar. Nazi líderes em Munique e Berlim concordaram com o local ideal para seu novo QG. Tinha de estar na maior, mais bem equipada, mais moderna e mais luxuosa acomodação da Alemanha, senão da Europa: o Hotel Excelsior.

O preço da dissidência

A transformação do Hotel Excelsior de um negócio falido em um dos melhores hotéis do mundo foi realizada por um virtuoso hoteleiro chamado Curt Elschner, que se inspirou nos novos hotéis de luxo que estavam sendo construídos nos EUA. O Excelsior oferecia 600 quartos, nove restaurantes e uma longa lista de comodidades e serviços para os seus convidados. A biblioteca guardava centenas de jornais diários e revistas semanais de todo o mundo. Todos os seus sistemas eram alimentados por eletricidade, incluindo as várias tecnologias de última geração disponíveis no spa construído no subsolo. Além disso, tudo estava ligado por uma impressionante passagem subterrânea para o terminal ferroviário de Anhalter Bahnhof, a sul de Potsdamer Platz. Os hóspedes do Excelsior podiam comprar os seus bilhetes no hotel e prosseguir para o seu vagão do trem sem entrar em contacto com a imprevisível vida da rua acima. Esta última característica atraiu especialmente aos guardas de Hitler, que estavam preocupados com a segurança do seu Führer e de outros altos funcionários nazistas em uma cidade que, ao contrário de Munique, tinha fama de ser um refúgio fervoroso da esquerda.

O Excelsior não era o hotel mais prestigiado de Berlim - esse era o Adlon junto ao Portão de Brandenburgo - mas era a melhor opção aos olhos da hierarquia nazi. Havia apenas um problema: Elschner recusou-se a alugar um andar do hotel dele para os nazistas. Ele sofreria pela sua decisão de recusar o pedido nazi. Todos os oficiais e membros do Partido Nazi foram imediatamente proibidos de entrar no Excelsior e, assim que Hitler estava no poder, o hotel foi invadido. Numerosas obras de arte 'ofensivas' foram removidas do seu grande salão que era chamado Salão do Pensamento Livre e continha imagens de pensadores históricos, alguns de origem judaica. Estes foram substituídos por retratos dos intelectuais nacional-socialistas. No devido tempo, Elschner fugiu da Alemanha para evitar ser morto.

Hotel Kaiserhof

Os nazistas foram muito mais bem recebidos no Kaiserhof, em Wilhelmstrasse. Os seus proprietários demonstraram publicamente a sua hostilidade para com o governo de Weimar hasteando a velha bandeira negra, branca e vermelha do Império Alemão acima da entrada do hotel em vez do preto, vermelho e dourado da República de Weimar.

O saguão também ostentava fotografias do Kaiser Wilhelm I visitando o recém-inaugurado hotel em 1871. Muito em breve, todo um andar superior do Kaiserhof seria transformado em um ocupado posto de comando nazista com telefones, máquinas de escrever e toda a parafernália da sede de um partido político - completa com caixas de munições e munições de pistola. Agora, o saguão estava lotado todos os dias com os guardas uniformizados do SS e da SA e com os jornalistas que tentavam arrancar uma palavra do agente de imprensa de Hitler, Otto Dietrich, ou Ernst Hanfstaengl, agora chefe do Gabinete de Imprensa Estrangeira Nazi. À medida que Hitler se envolvia cada vez mais com as negociações para o alto cargo do Presidente Hindenburg, ele passava mais tempo trabalhando no Kaiserhof. Ele viveu lá continuamente desde agosto de 1932 até à sua eventual nomeação como chanceler, seis meses depois.

Foi ali que ele dirigiu as duas campanhas eleitorais do Reichstag naquele ano, após as quais o NSDAP surgiu como o maior partido da Alemanha. Foi também no Kaiserhof que ele enfrentou a ameaça quase fatal à sua liderança do dinâmico Gregor Strasser, restaurando o controle total sobre o movimento nazista com um dos discursos mais apaixonados de toda a sua carreira política. Lá, ele também participou das reuniões regulares realizadas no Kaiserhof pelo Clube Nacional, uma organização exclusiva composta por industriais alemães ricos que conheceram informalmente altos funcionários nazistas envolvidos com assuntos da indústria e economia. Muitos líderes nazistas tomaram quartos permanentes no hotel para estarem perto de Hitler, muitas vezes, reunindo-se para falar de política e planejar tácticas no adjacente café vienense.

Numa curta cerimônia no Kaiserhof, Hitler tornou-se finalmente um cidadão alemão, em fevereiro de 1932. Durante quase sete anos, ele tinha sido um imigrante sem Estado, tendo renunciado à sua cidadania austríaca em 1925, pouco depois da sua libertação da Prisão de Landsberg. A sua conveniente "nomeação" para um posto espúrio na cidade nazista de Braunschweig, permitiu que ele completasse o necessário para que pudesse concorrer nas próximas eleições presidenciais. De muitas maneiras, o período no Kaiserhof foi crucial para o Partido e para o seu Führer, não menos importante porque ele podia olhar todos os dias para o alvo da sua ambição, a Chancelaria, diretamente em frente ao hotel.

Um prato envenenado?

Como em Munique, Hitler gostava de comer cercado por sua corte, uma mistura de velhos companheiros e guarda-costas pessoais, membros de sua equipe pessoal e aqueles que estavam envolvidos em projetos de interesse atual para ele. Almoços e jantares eram realizados bem tarde para se encaixarem no particular relógio biológico do Führer. Embora não fosse um apreciador gastronômico, Hitler desfrutou de longas sessões na mesa de refeições, o que deu a ele a chance de questionar novos rostos em seu grupo e, mais frequentemente, expor exaustivamente seus pensamentos e ideias pessoais. Depois de um almoço em janeiro de 1932, que se estendia bem além de uma hora, os rostos ao redor da mesa começaram a ficar pálidos. Todo o grupo que comeu com Hitler naquele dia adoeceu quase simultaneamente, atingidos por ondas de extrema náusea e instabilidade. A maioria logo experimentava cólicas estomacais agudas e vômitos prolificamente e um em particular estava bastante mal. Este era o principal ajudante de Hitler, Wilhelm Brückner, um Alte Kämpfer ou velho guerreiro do Munique Putsch de 1923 e um dos seis antigos camaradas que serviu como guarda de honra cerimonial de Hitler em virtude do tempo de serviço prestado ao partido. Ele era um homem em forma, mas depois da refeição daquele dia, passou várias semanas no hospital se recuperando de um ataque violento de intoxicação alimentar. Embora nenhum tenha morrido, todos os outros convidados na mesa de Hitler ficaram doentes por vários dias. A figura menos afetada na mesa foi o próprio Hitler, possivelmente porque ele escolhia comer com moderação durante o dia e geralmente se restringia a um prato vegetariano leve ao almoçar em público.

Como estudioso da história, desde os primeiros dias na política, Hitler sempre teve cuidado com o que comia. Ele entendeu por que o incolor e inodoro arsênico branco foi chamado "o rei dos venenos e o veneno dos reis". Seu amigo e confidente Ernst Hanfstaengl recordou os muitos bolos de aniversário e chocolates que chegaram ao apartamento de Hitler em Munique, em 20 de abril de 1923, aparentemente enviados por algumas de suas muitas admiradoras.

Hitler se recusou a tocá-los e depois foi feita uma anotação dos detalhes dos remetentes, todos foram descartados.

Cuidando melhor do Führer

O incidente de Kaiserhof foi um ataque deliberado contra Hitler ou simplesmente o resultado de contaminação "normal" dos alimentos? Pouca documentação referente ao incidente sobreviveu embora, após a guerra, um contemporâneo tenha se lembrado de que um traço de veneno foi encontrado nos restos da refeição e em amostras colhidas nos clientes afetados. Foi realizada uma investigação completa da equipe da cozinha, mas ninguém foi preso. Magda Goebbels não tinha dúvidas de que uma tentativa de matar seu amado Führer tinha acontecido. No ano seguinte, até Hitler entrar para a Chancelaria do Reich, sua admiradora feminina mais dedicada tornou-se responsável por alimentar Hitler sempre que ele estava em Berlim. Ela supervisionava todos os lanches e refeições preparadas para ele nas cozinhas do Kaiserhof.

Para Hitler, evitar o ataque de veneno que derrubou seus subordinados era mais um sinal de que seu destino vitorioso estava predestinado. Mas ele também aprendeu a manter seus cozinheiros mais confiáveis por perto. Quando ele se tornou chanceler, trouxe seu antigo cozinheiro da Brown House, em Munique, para supervisionar sua cozinha privada em Berlim. A confiável Anni Döhring permaneceu cozinheira sênior no Berghof até o final do Reich. Ele valorizou especialmente sua chef final no Berlin Führerbunker, Constanze Manziarly, e sentou-se com ela, pela última vez, para comer sua refeição no dia em que ele explodiu seu cérebro.

Os guardas de Hitler estremeceram com a facilidade com que seu líder tinha sido exposto ao perigo no Kaiserhof e começaram a planejar medidas adicionais de segurança. Com o tempo, eles lançariam uma rede de segurança cada vez maior sobre todos os aspectos de sua vida diária. Em 1942, quando passou a maior parte do tempo nos postos de comando da Frente Oriental, como o Covil do Lobo na Prússia Oriental, o SS usou provadores de comida para verificar todas as refeições de Hitler. Estes raramente eram "voluntários" entusiasmados, mas geralmente prisioneiros poloneses ou russos, ou apenas ingênuos jovens, como testemunhou a sobrevivente Margaret Wölk. Ela e alguns amigos em sua aldeia prussiana oriental eram jovens alemãs que, por acaso, estavam disponíveis quando o SS foi à procura de provadores. Embora eles fossem gratos pela comida que excedia em muito as normas da guerra, eles ficaram aterrorizados com o pensamento de morte súbita por um veneno que

CAPÍTULO 3

poderia ter sido introduzido na dieta de Hitler por aliados, por guerrilheiros ou mesmo por alemães dissidentes.

Mas, na noite de 30 de janeiro de 1933, nos recentes e felizes tempos para a causa nazista, Hitler retornou em triunfo ao Hotel Kaiserhof. Ele tinha acabado de ser nomeado para o cargo de Chanceler por Hindenburg. Quando ele saiu do elevador, no andar que abrigava o QG nazista, foi recebido por uma guarda de honra da equipe do hotel: gerentes, cozinheiros, criadas e garçons, todos cumprimentando o homem do momento. Um oficial perspicaz dos guarda-costas oficiais do SS pode ter examinado aquela linha de rostos excitados e se perguntado se ali estava o envenenador Kaiserhof.

O novo chanceler alemão, Adolf Hitler, cumprimenta o presidente von Hindenburg em Berlim, em 1933. Na parte traseira, estão Hermann Göring e Joseph Goebbels (de cartola).

CAPÍTULO 4

1933
O Falso Stormtrooper

Hitler adorava as altas pradarias da bela Obersalzberg. A primeira vez que ele visitou o local foi em 1923 para passar um tempo com seu amigo e mentor Dietrich Eckart, e logo se apaixonou por seu cenário inigualável, ar fresco e a sensação de espaço entre os Lakelands, perto de Munique, ao norte e os Alpes nevados ao sul. Após sua libertação da prisão de Landsberg, em dezembro de 1924, ele alugou uma pequena cabana no vale para terminar a segunda parte de seu testamento político, Mein Kampf. Então, a partir de 1928, ele alugou uma casa de verão chamada Haus Wachenfeld, convidando sua meio-irmã Angela e sua filha Geli, para administrar a pequena residência para ele. As vendas iniciais de seu livro foram decepcionantes e elas permaneceram assim até que sua estrela começou a subir depois do "avanço" na eleição de setembro de 1930. Mas Hitler teve muitos admiradores com recursos financeiros e que reconheceram que essa chama política precisava de um lugar para se afastar das pressões da vida política e recarregar suas baterias. Em Obersalzberg, ele poderia ler, pensar, ouvir música e relaxar.

Em 1933, o novo chanceler, logo ditador da Alemanha, havia acumulado mais do que royalties suficientes para comprar a casa imediatamente. Uma corrida repentina para comprar Mein Kampf quando seu autor chegou ao poder o tornara muito rico. Ele começou a comprar sua vizinhança e passou a considerar a reforma de sua residência bastante modesta em um imponente refúgio de montanha digno de um grande líder. Em 1936, Haus Wachenfeld seria transformada na lendária Berghof ou Corte da Montanha, que impressionou tanto os líderes mundiais visitantes quanto o público que teve um breve vislumbre de seu luxo nas produções de cinema.

Hitler gostava, particularmente, de ser filmado olhando para fora de sua vasta janela retrátil para as montanhas além, ou relaxando com os hóspedes no imponente terraço.

O complexo de Berghof tinha sua própria pista de aterrissagem que, após 1939, foi fortemente protegida com armas antiaéreas e máquinas que fabricavam fumaça como camuflagem. Como muitas das estrelas de Hollywood que ele tanto admirava, a "vila" de Hitler foi equipada com seu próprio cinema. Mas, em 1933, o Berghof ainda era uma residência relativamente pequena, pouco diferente das outras casas de veraneio pontilhadas ao redor do vale. E certamente tinha menos privacidade do que as casas das celebridades do cinema em Beverly Hills.

Guten Morgen, Herr Hitler

Pode ter sido o local preferido de férias de Hitler, mas morar em Haus Wachenfeld o expôs a um risco considerável, especialmente entre 1928 e 1935, quando os mecanismos de segurança eram rudimentares. Seu terreno era, inicialmente, bastante pequeno e, embora fosse cercado, havia outras propriedades com visão para ele. Demorou um pouco para todos seus vizinhos aceitarem que sua oferta de compra não poderia ser recusada. A encosta ao redor da casa também era atravessada por uma rede de trilhas que eram populares entre os vizinhos e os pedestres durante grande parte do ano. E um caminho amplo e muito usado passava diretamente pela frente da casa, a uma distância de cerca de 90 metros da porta.

Hitler usava essas trilhas diariamente quando saía para caminhar com amigos, conversar e expor suas ideias durante uma hora ou mais de ar fresco e exercício. Muitos pedestres locais e estrangeiros, incluindo vários turistas britânicos, viram-se esbarrando no líder nazista e em sua comitiva no final da década de 1920 e até a década de 1930. Muitos, mais tarde, relataram como ele era agradável e cortês com seus companheiros de caminhada e como tinha muito interesse em seus planos de férias na Alemanha. Fotografias de antes de 1936 mostram as multidões amigáveis que se reuniam regularmente perto do portão de Hitler no verão. Não era incomum para Hitler andar até o caminho com apenas dois homens do SS ao seu lado e se envolver em algumas brincadeiras leves com seus 'fãs'. Ele rejeitou todos os conselhos para se cercar com um contingente maior de seguranças nessas ocasiões. Aqui, no fundo neste coração austro-germânico, ele queria ser visto como um estadista à vontade entre o seu povo. Excelente relações públicas, talvez, mas um pesadelo para seus guarda-costas.

1933: O FALSO STORMTROOPER

Hitler observa as montanhas Obersalzberg a partir da varanda do Berghof, o seu retiro de campo perto de Berchtesgaden.

CAPÍTULO 4

País do franco-atirador

A decisão de Hitler de localizar a sua sede de Verão no Obersalzberg foi baseada no seu amor pelo mundo romântico alpino e em sua associação com muitos compositores, artistas, poetas e pensadores alemães que tinham sido inspirados ali. Fazia pouco sentido em termos de segurança. A paisagem montanhosa, acidentada e irregular em altitudes mais elevadas era muito arborizada, por isso, era um ambiente muito difícil para os guardas cobrirem e monitorarem. Proporcionou uma infinidade de possibilidades para um intruso treinado fazer o melhor uso do terreno. O Berghof media quase 8 km² (3 milhas²), exigindo patrulhas regulares em torno do seu longo perímetro cercado. Até 1935, qualquer paciente e determinado invasor tinha uma hipótese de atravessar as defesas para encontrar uma posição para um tiro em Hitler enquanto ele passeava na propriedade. No final de 1936, no entanto, Martin Bormann, o supervisor nazista no Berghof, tinha usado a ameaça de intrusos armados para convencer Hitler a deixá-lo transformar a casa de férias em uma fortaleza com a sua própria guarnição residente de homens do regimento de elite Leibstandarte SS Adolf Hitler.

Apesar desta proteção melhorada, o Führer continuou a oferecer oportunidades razoáveis para um franco-atirador, recusando-se a utilizar o topo da montanha seguro e defensável Kehlsteinhaus ou Ninho da Águia que Bormann tinha construído especialmente para ele. Ele preferia caminhar por seu canto favorito, o Mooslahnerkopf Teehaus. O caminho até o frio e enevoado Ninho da Águia era íngreme e exposto às intempéries, já os 3 km (2 milhas) a pé para entrar e sair do Teehaus, embora mais longos, eram através de um terreno mais suave, levemente arborizado e mais baixo que Hitler achou muito mais agradável.

Um soldado com uma arma...

Os perigos reais que Hitler enfrentava enquanto vivia em Obersalzberg concretizaram-se em 1933, quando os seus guardas começaram a notar um homem com o uniforme de um Stormtrooper SA. Ele foi observado caminhando repetidamente no entorno do Berghof, tendo um interesse especial nas cercas e portões. Uma vez detido e revistado, descobriu-se que ele levava uma pistola carregada e que não podia confirmar os detalhes da sua filiação à SA. Assumindo ser um assassino, ele prontamente desapareceu. Hitler estava tão preocupado com o súbito aparecimento deste falso stormtrooper que enviou uma unidade dos seus melhores homens do SS para Obersalzberg imediatamente. Em 1939, Bridget Dowling, a cunhada irlandesa de Hitler, publicou um livro sobre sua conexão com o Führer, no qual ela disse que estava morando no Berghof em meados da década de 1930. Ela alegou ter testemunhado um incidente lá em que um stormtrooper SA chamado Kraus disparou contra Hitler antes de ser morto a tiros por cinco guardas do SS. No entanto, os contos coloridos de Bridget, de seu tempo na Alemanha nazista foram escritos em 1939, quando ela estava morando na América. Ela estava com pouco dinheiro e estava desesperada para lucrar com a notoriedade de seu parente, então, é provável que a história de Kraus tenha sido produto da imaginação do ghostwriter.

Havia, no entanto, verdadeiros possíveis assassinos que reconheceram a vulnerabilidade de Hitler no Obersalzberg. Em 1938, o infeliz estudante suíço Maurice Bavaud passou vários dias nas proximidades do Berghof procurando uma oportunidade de assassinar Hitler. Durante a guerra, pelo menos um dissidente oficial do exército alemão suspeitou que Hitler poderia ser pego de surpresa no ambiente descontraído de seu complexo de montanhas e planejado de acordo. E embora o Grupo Executivo de Operações Especiais Britânico (SOE) tenha considerado vários cenários de assassinato em diferentes partes do Reich, seus projetistas concluíram que o Berghof oferecia a melhor chance de uma morte bem-sucedida. Sem dúvida, todos eles tinham lido o romance policial de Geoffrey Household, de 1939, *Rogue Male*, que começa com um esportista britânico 'de férias' nas montanhas da Europa central com um ditador sem nome à sua vista.

CAPÍTULO 5

Primavera de 1933
Reação Vermelha

Em 1933, Adolf Hitler seria assassinado por uma donzela loira sorridente, segurando um ramo de flores em sua direção, borrifando-lhe no rosto com um frasco secreto de ácido prússico letal. Um presente para o Führer, uma caneta muito cara, estava a caminho pelo correio, de 'um apoiante dedicado'. Estava preparada para explodir quando a ponta fosse empurrada firmemente contra o papel. Um filhote de cachorro encantador, dado de presente a Hitler por um admirador rico, tinha garras extremamente afiadas: havia sido contaminado com raiva. Os funcionários da ferrovia Munique-Berlim foram subornados por espiões britânicos para jogar arsênico branco solúvel em água nas urnas de chá e café no compartimento de trens de Hitler. Um dispositivo de autodestruição foi incorporado ao novo avião pessoal de Hitler, o Junkers Ju 52, chamado Immelmann II, em homenagem ao primeiro ás de caça da Grande Guerra da Alemanha. O dispositivo seria ativado automaticamente durante a próxima campanha eleitoral de "Voo sobre a Alemanha" de Hitler. Agentes soviéticos planejavam sequestrar Hitler em sua casa de verão nos Alpes e substituí-lo por um ator especialmente preparado, um comunista alemão exilado que, por acaso, era sósia do Führer.

Nos primeiros meses de 1933, um fluxo de cartas e mensagens semelhantes a essas chegou às mesas de altos oficiais de polícia em toda a Alemanha. A maioria dos remetentes ameaçou, ou simplesmente alertou contra um assassinato mais convencional por granada ou franco-atirador, e eles vieram de uma variedade desconcertante de países ao redor do mundo. Eles eram evidências de que Hitler se tornara uma espécie de celebridade global e poderia esperar o mesmo tipo de lixo postal com o qual os artistas e esportistas estavam tendo que lidar. Foi uma época em que a mídia de massa estava se destacando na vida pública. Como um divisor profundo e político polêmico, Hitler poderia esperar mais do que seu quinhão de cartas e opositores amargos em seu correio, embora a maioria de sua correspondência nos primeiros dias do Terceiro Reich pareça ter vindo de admiradores, especialmente mulheres. Os oficiais da polícia se empenharam na tarefa de peneirar as montanhas de cartas em busca do correspondente verdadeiramente perigoso, mas inevitavelmente, eles descobriram que apenas um número muito pequeno de mensagens recebidas merecia qualquer investigação adicional. A maioria era de fantasistas ou de insatisfeitos que estavam desabafando. Naturalmente, nenhuma dessas comunicações vinha de fontes que provavelmente estavam tramando contra Hitler e seu novo regime.

Esmagando os comunistas

Como Hitler gradualmente assumiu poderes cada vez maiores nos primeiros meses de 1933, muitos observadores esperavam que a maior resistência à aquisição nazista viesse de seu inimigo ideológico mais amargo - o Partido Comunista Alemão ou KPD. Este era o partido comunista mais forte da Europa Ocidental e foi bem organizado e bem conduzido. Nas eleições de 6 de novembro de 1932, o KPD conquistou quase seis milhões de votos e ganhou 100 deputados no Reichstag. Cinco meses depois, na última eleição "livre" a ser realizada em Weimar, na Alemanha, 81 deputados do KPD foram eleitos apesar da intensa intimidação da máquina nacional socialista de rua: somente na Prússia, mais de 50.000 "policiais auxiliares" ajudaram a monitorar as estações de pesquisas. Eles eram facilmente identificados por suas braçadeiras brancas e seus desgastados uniformes SA e SS. Esses 81 deputados eleitos do KPD nunca tomaram seus lugares em Berlim. Em muitos casos, eles já estavam a caminho de prisões e campos em toda a Alemanha.

Antes do final da campanha eleitoral, estima-se que 4.000 comunistas, advogados, escritores, jornalistas e acadêmicos acabaram em "custódia policial", na maioria dos casos, permanentemente. O líder do KPD, Ernst Thälmann, foi preso dois dias antes da votação e submetido a 11 anos de confinamento solitário, que só terminaria com sua execução sumária no campo de concentração de Buchenwald, em agosto de 1944. Meticulosamente planejada com bastante antecedência, a repressão nazista ao KPD foi rápida e eficiente. No entanto, embora sua participação tenha diminuído nos últimos

PRIMAVERA DE 1933: REAÇÃO VERMELHA

12 anos do Terceiro Reich, o KPD nunca desapareceu completamente. Alguns de seus líderes escaparam para o exílio na França ou na União Soviética, onde tentaram manter uma rede clandestina viável. Mas a estrutura que teria permitido aos comunistas manter a oposição organizada ao nacional-socialismo dentro do Reich havia sido esmagada naquelas primeiras semanas de 1933. Qualquer resistência futura a Hitler teria que vir de indivíduos ou pequenos grupos operando por sua própria iniciativa.

Os guarda-costas de Hitler tinham de estar em alerta máximo para potenciais ataques de assassinos disfarçadas de admiradores.

CAPÍTULO 5

Morte pelo correio

Dez dias após Hitler tornar-se chanceler, as autoridades policiais de Berlim começaram a se interessar por um emigrante autoexilado que vivia na França. Ludwig Assner era bastante conhecido por qualquer pessoa que tivesse participado ativamente da caótica política da Baviera do pós-guerra, em novembro de 1918. Assner surgiu pela primeira vez naqueles dias importantes após o armistício, quando a Alemanha tropeçou no Império rumo a um futuro republicano novo e incerto. O Kaiser abdicou e saiu para o exílio na Holanda e o regime de 738 anos da dinastia Wittelsbach na Baviera também chegou a um fim repentino. O rei bávaro Ludwig III partiu para a Áustria e um grupo de socialistas liderados por Kurt Eisner declarou que a Baviera era agora uma república socialista livre.

Nesse ponto da história de seu país, Ludwig Assner era socialista e suficientemente comprometido com essa causa para servir como motorista e guarda-costas de Eisner, de novembro de 1918 até o assassinato de Eisner, três meses depois. Em 1924, Assner viajou por todo o espectro político. Naquele ano, ele participou das eleições parlamentares da Baviera como candidato ao Völkisch-Social Block, um partido de conservadores, nacionalistas e antissemitas. Ele foi eleito, mas não conseguiu tomar seu assento. Ele foi condenado a quatro meses de prisão algumas semanas antes da eleição. A partir de sua cela na prisão de Landsberg, até Hitler protestou que a candidatura de Assner era ilegal. Em algum momento, Assner pode ter flertado com a ideia de se juntar ao NSDAP, mas em 1933, ele estava morando na França e a política havia mudado de direção mais uma vez. Ele tinha uma profunda antipatia por Hitler e pelos nazistas e tinha redescoberto parte de seu fervor anterior de esquerda.

Em fevereiro de 1933, funcionários da seção bávara do NSDAP foram alertados por um telegrama de uma fonte desconhecida na França: Ludwig Assner estava conspirando para assassinar o novo chanceler da Alemanha. Acreditando que Hitler se lembraria dele, Assner decidiu enviar uma carta a Berlim. Era privada e foi envenenada. Se alguma vez foi enviada, a base técnica para esta proposta de ataque postal nunca foi divulgada pelas autoridades alemãs. A toxina ricina era bem conhecida nesse período e a Força Aérea dos EUA considerou usá-la como arma em 1918. No entanto, é difícil imaginar que um indivíduo civil como Assner poderia ter acesso a um produto químico tão restrito. De qualquer forma, apesar de ser muito perigoso abrir e manusear uma carta embebida em solução de ricina, as correspondências estrangeiras certamente seriam triadas por funcionários humildes antes de chegarem ao Führer. Uma investigação mais aprofundada sobre Assner confirmou que ele estava definitivamente hostil em relação a Hitler. Ele temia que as políticas beligerantes de Hitler mergulhassem a Alemanha em uma segunda guerra europeia. No entanto, qualquer preocupação séria que as autoridades tivessem sobre Assner rapidamente evaporou-se quando descobriram que ele estava disposto a abandonar seus planos de assassinato em troca de um pagamento generoso de Berlim. Assner foi ignorado não apenas como um lobo solitário, mas, também, possivelmente louco e certamente patético. As várias organizações policiais alemãs estavam mais preocupados com ameaças mais próximas de casa e com assassinos com mais credibilidade e mais organizados.

A célula de Königsberg

Com a Alemanha em crise política, o Presidente Hindenburg usou seus poderes de emergência para dissolver o Reichstag no primeiro dia de fevereiro de 1933. Ele pediu novas eleições para o início de março. Duas semanas depois, em 15 de fevereiro, Hitler delineou seus planos para o seu quinto Deutschlandflug ou campanha eleitoral aérea, o que lhe permitiria falar diretamente com o maior número de pessoas no curto espaço de tempo disponível. Ele decidiu que seu discurso final de campanha ocorreria na antiga capital prussiana oriental de Königsberg, em 4 de março, véspera da votação. Hitler escolheu Königsberg como local para este "momento-chave" porque sua situação atual simbolizava tudo o que Hitler odiava na Alemanha de Weimar. Königsberg foi uma das cidades mais históricas da Alemanha, tendo sido a base da fortaleza dos Cavaleiros Teutônicos que haviam estabelecido o domínio alemão sobre os eslavos ocidentais e sobre grande parte da costa do Báltico na Idade Média. Foi um rico comércio da cidade de Hansa e era um centro cultural com uma universidade famosa e com uma rica publicação como herança. Desde Versalhes, no entanto, a cidade e as terras da Prússia Oriental ao redor dela, nas palavras de Hitler, 'foram amputadas do corpo do Reich' pela controversa faixa de território conhecida como Corredor Polonês. Ao terminar sua campanha neste local politicamente carregado, Hitler estava lembrando ao eleitorado alemão de sua promessa de trazer todos os falantes de alemão espalhados pelo Tratado de Versalhes de volta a um estado alemão unificado que era étnica e geograficamente coerente.

Karl Lutter e seus colegas conspiradores observaram que Hitler estaria em sua cidade em 17 dias, para fazer um breve discurso. Ele só estaria lá por várias horas, antes de retornar a Berlim para o dia das eleições. Lutter estava interessado em fornecer um final adequado para a campanha eleitoral de Hitler, de preferência um que acabasse com o próprio Hitler. Marinheiro e armador em Königsberg, Lutter era um comunista comprometido e líder de uma pequena célula do partido que esperava posicionar uma bomba perto da plataforma onde Hitler faria seu discurso. O grupo realizou duas reuniões secretas em fevereiro para discutir os detalhes necessários. Eles parecem ter tido o bom senso de não comprometer nada de seus planos antes de serem presos no dia anterior à chegada de Hitler. No entanto, a facilidade com que um informante da polícia se infiltrou no grupo clandestino de Lutter e, em seguida, encurralou-lhe, diz muito sobre a falta de experiência operacional no que restava do KPD no momento em que seus líderes experientes estavam sendo eliminados.

Felizmente para Lutter e seus colegas conspiradores, eles foram interrogados pela polícia civil e não pelas organizações nazistas, que não tinham assumido o controle completo de investigações desse tipo. A polícia encontrou pouca evidência para apoiar uma acusação vigorosa, como as duas reuniões clandestinas do Grupo Lutter que não haviam gerado nada para incriminar seus membros. Lá não havia provas em papel e, crucialmente, não havia evidências de que tinham adquirido explosivos. Os membros do grupo preso se recusaram a confessar e mantiveram a inocência deles. Nesse ponto da transição de uma república democrática para uma totalitária, a polícia de Königsberg achou que não havia nada mais que pudesse fazer além de deter os homens e esperar que surgissem algumas evidências, mas nada aconteceu. Em dezembro, todos os membros do grupo foram soltos.

Fantasmas do passado da Alemanha

A destruição do Reichstag, em 27 de fevereiro de 1933 pelo comunista holandês Marinus van der Lubbe deu a Hitler a oportunidade de intensificar a supressão dos oponentes de esquerda e estender sua autoridade em defesa do Reich. Como o prédio do Reichstag não estava funcionando, também lhe deu uma desculpa para encenar a abertura do parlamento recém-eleito junto ao Partido Nacional Socialista. Em vez de entrar e dar posse aos novos deputados da forma comum, Hitler planejou um dia de cerimônia e ritual que não marcariam apenas o nascimento de uma Nova Alemanha, mas também demonstrariam um *continuum* com o melhor do passado. Seria realizado em 23 de março: não em Berlim esquerdista, mas em Potsdam, a casa dos grandes reis prussianos.

PRIMAVERA DE 1933: REAÇÃO VERMELHA

A destruição do Reichstag deu a Hitler a desculpa de tomar as rédeas do poder com obstáculos democráticos.

CAPÍTULO 5

Hitler e o antigo e reverenciado Presidente Hindenburg prosseguiriam em seu desfile motorizado pelas largas avenidas de Potsdam, envoltas em gigantes faixas com a suástica nazista e a bandeira imperial, ambas em preto, branco e vermelho. Os dois líderes seguiriam para a Igreja da Guarnição, lar espiritual do exército alemão e o local do primeiro Reichstag Imperial, em 1871, realizado após a esmagadora vitória da Alemanha sobre a França. Hitler e Hindenburg prosseguiriam ao longo da nave da igreja em direção aos túmulos de "Soldier King", Frederick William I e seu filho, o Magnífico Frederick, o Grande.

No dia, Hindenburg também parou na Galeria Imperial e assentiu em silêncio em direção à cadeira vazia do Kaiser-exilado ausente. Antes dos túmulos reais, Hitler se curvou profundamente em um ato de homenagem ao presidente idoso, que tinha sido seu comandante na Grande Guerra e era o símbolo vivo do extinto Segundo Reich, o qual Hitler se ofereceu para defender em 1914. Gentilmente, pegando a mão do velho frágil, Hitler o levou pelos degraus de mármore até a cripta sagrada abaixo, onde os dois velhos soldados estavam e comungaram silenciosamente com os grandes fantasmas do passado da Alemanha. O dia de Potsdam foi maravilhosamente administrado por Goebbels. Sinalizou para a nação, e especialmente para a classe oficial aristocrática no exército, que Hitler não era revolucionário, mas um líder mergulhado em reverência pela tradição militar Hohenzollern. Hitler era um homem confiável.

Os bombardeiros do túnel

As instruções de palco de Goebbels não foram totalmente planejadas. Elas foram manchadas por arranjos de segurança excepcionalmente pesados que envolveram a cidade de Potsdam ao longo do dia. A polícia e as organizações nazistas de plantão estavam bastante nervosas, apesar dos rituais políticos estarem ocorrendo em um local relativamente fácil de monitorar e supervisionar. Todos estavam em alerta especial graças a uma descoberta perturbadora no dia anterior. Uma varredura de rotina nas adegas e fundações sob a Igreja Garrison encontrou evidências de escavação recente, que levou a um túnel recém-construído que funcionava por vários metros diretamente abaixo da nave. O tamanho do túnel sugeria que vários conspiradores estavam cooperando no projeto. Acredita-se que os escavadores pretendiam embalá-lo com explosivos e detoná-los durante a cerimônia vindoura. Nesse caso, a explosão teria destruído líderes do alto escalão do país e muitos funcionários do novo governo que estariam presentes na grande ocasião do Estado.

A descoberta do túnel frustrou uma das últimas chances de impedir a aquisição nazista do que restava da Alemanha democrática. Inevitavelmente, a máquina da mídia do NSDAP culpava os comunistas, embora houvesse pouca prova real de que eles estivessem envolvidos, e ninguém, nem mesmo um pateta, jamais esteve preso. Mas na atmosfera tensa da época, era suficiente apontar o dedo ao KPD. De qualquer forma, o túnel foi certamente uma descoberta útil, pois ajudou a lembrar à população que apenas um governo nazista forte poderia protegê-la do Terror Vermelho.

Em 23 de março, a Lei de Habilitação, que concedeu poderes ditatoriais a Hitler avançou pelo Reichstag por 441 votos a 94. Os social-democratas tinham sido intimidados pelos barulhentos deputados camisas marrons armados na câmara liderados pelo presidente do Reichstag, Hermann Göring, e os demais centristas tinham sido comprados por promessas vazias de moderação futura de Hitler. Lá, não houve resistência do KPD, pois seus 81 deputados eleitos não estavam presentes. No dia anterior, 22 de março de 1933, os principais comunistas que mantinham células em todo o Reich foram transferidos para uma nova instalação especial onde podiam ser concentrados, detidos e "reeducados" em um só lugar. O acampamento ficava em uma bonita cidade medieval da Baviera, famosa pela colônia *fin de siècle* de artistas de vanguarda: Dachau.

De capitão a camarada

Após a transformação quase instantânea da Alemanha em uma ditadura totalitária, conspiradores contra Hitler de qualquer tipo tinham poucas chances de sucesso. Isso não os impediu de tentar, e os membros e simpatizantes do KPD tentaram mais intensamente que a maioria. Como Ludwig Assner, Josef 'Beppo' Römer só encontrou suas crenças verdadeiras após uma longa jornada política. Nascido em 1892, ele pertencia à geração de jovens que lutou na Primeira Guerra Mundial e retornou à uma Pátria derrotada, que estava se desintegrando. De fato, Römer havia se alistado no exército em 1911. Com sua experiência pré-guerra nas fileiras e sua formação e educação burguesas, ele rapidamente se tornou um oficial popular e bem-sucedido no front. Capitão Römer era o tipo de soldado profissional endurecido pela guerra que continuou lutando muito depois de sua desmobilização "oficial". Como a maioria dos oficiais de sua classe, ele tomou o partido dos paramilitares Freikorps contra a esquerda e foi um dos oficiais fundadores do Bund Oberland Corps. O Bund ajudou a esmagar a República Soviética da Baviera na primavera de 1919 e desempenhou um papel vital na amarga luta entre paramilitares alemães e forças polonesas, em

CAPÍTULO 5

1921, sobre o rico território da Alta Silésia. Homens de Römer destacaram-se na batalha de Annaberg, assim como vários nazistas importantes, como o motorista de Hitler, Sepp Dietrich, e o comandante em Auschwitz, Rudolf Höss.

No entanto, com o tempo, o pensamento político de Römer tomou uma direção à esquerda. Ele simpatizou com os trabalhadores em greve em 1921, recusando-se a atirar neles, e opôs-se a colegas do Bund que queriam uma cooperação mais estreita com o crescente NSDAP. No final da década de 1920, Römer atuava como advogado, defendendo trabalhadores e ajudando-os a ingressar em sindicatos, e ele foi editor da revista de esquerda Aufbruch ou Nova Partida. Ele pode não ter se juntado ao KPD e quaisquer pensamentos de conspirar para matar Hitler que ele tinha, provavelmente eram acadêmicos, mas como líder de um pequeno círculo intelectual e um homem com experiência militar, Beppo Römer tornou-se uma figura de preocupação para as agências de segurança do novo Terceiro Reich.

Em 1934, Römer foi preso por suspeita de conspiração e iniciou um tour de cinco anos por vários campos de prisioneiros nazistas, terminando em Dachau, onde entrou em contato com muitos outros oposicionistas. Sua experiência nos campos endureceu sua determinação de lutar contra o regime. Em algum momento, ele cruzou o caminho com Nikolaus von Halem, um juiz de origem aristocrática que recusou submeter-se ao juramento de lealdade exigido ao Führer. Em 1939, Beppo foi inesperadamente liberado. As autoridades talvez quisessem usá-lo como isca para desmascarar um antinazista clandestino mais importante. Römer estava obviamente ciente de que estava sob vigilância, mas ele perseverou com o objetivo de montar uma pequena célula de ativistas. Ele fez contato com Halem, que conseguiu fornecer algum financiamento para um panfleto clandestino chamado Informationsdienst ou Serviço de Informação.

Römer também começou a falar sobre 'cortar a cabeça da cobra' assassinando Hitler. Nesse ponto, o agente disfarçado da Gestapo em seu grupo apresentou seu relatório e Römer foi preso novamente por ajudar e favorecer o inimigo. Uma vez que ele estava de volta à prisão, as autoridades poderiam começar a investigar os nomes daqueles que se reuniram com ele durante seu período 'fora'. Em 1942, ele foi devolvido a Dachau. Como muitos outros ativistas antinazistas, Beppo Römer continuou a manter algum tipo de resistência pessoal ao nazismo e quase viveu para ver sua queda, em maio de 1945. Sua luta alcançou pouco em termos concretos, mas homens e mulheres como ele eram persistentes e incômodos preocupantes para as autoridades nazistas, e um lembrete constante de que sua visão de mundo não era compartilhada por todos os alemães.

PRIMAVERA DE 1933: REAÇÃO VERMELHA

A conspiração comunista britânica

Durante a década de 1930, apenas um comunista chegou perto o suficiente de Hitler para ter uma verdadeira chance de matá-lo. Ele não era alemão nem russo. (Allan) Alexander Foote nasceu em Lancashire, foi criado em Yorkshire e teve uma boa quantidade de sangue escocês correndo em suas veias. Inevitavelmente resistente e áspero, Foote era um dos voluntários britânicos que lutaram pela República Espanhola contra Franco. Quando a Guerra Civil Espanhola terminou, em abril de 1939, ele continuou sua própria guerra contra o fascismo, fornecendo e transmitindo informações de e para grupos de resistência antinazistas na Alemanha e Suíça. Muitas páginas foram escritas sobre a questão de saber se Foote era um agente formal da NKVD da Rússia e/ou um agente duplo britânico. O certo é que ele percebeu que a oposição realmente eficaz a Hitler viria apenas da União Soviética, e não de governos covardes em Paris e Londres. Durante a guerra, ele fez uma contribuição significativa para as redes de comunicação de resistência na Alemanha, como o grupo de operadores de rádio da Orquestra Vermelha, e ele certamente passou informações a Moscou através de pelo menos dois elos de espionagem soviéticos. No final do verão de 1939, ele estava no sul da Alemanha, ostensivamente em férias de bicicleta ao redor do Chiemsee e outros belos lagos ao sul de Munique, e aproveitando a oportunidade para melhorar seus conhecimentos de alemão.

Mais dois para o almoço

Após a guerra, Alex Foote afirmou que descobriu a Osteria Bavaria em Schellingstrasse de Munique por acidente, seduzido a entrar pelo menu fixo para turistas pelo equivalente a um xelim e seis centavos. Se isso for verdade, ele deve ter sido a única pessoa na cidade que não sabia que esse restaurante italiano era o lugar favorito do Führer: ele jantava a bela truta alpina desde 1920. Ele havia cortejado suas únicas duas namoradas sérias lá - Marie 'Mitzi' Reiter e Eva Braun - e sempre que ele estava na Baviera, era o seu local preferido para almoço ou jantar. No início dos anos 20, Hitler mais jovem costumava festejar na Baviera Osteria com sua turma de colegas nazistas de rua. Em 1939, aos 50 anos de idade, Hitler tendia a jantar com grupos menores. Aconchegando-se ao seu menu turístico de forrageiras, Foote teve inúmeras oportunidades de assistir ao Führer ir e vir. Ele observou a conhecida cortesia austríaca do Führer, curvando-se e beijando a mão de qualquer dama convidada e permanecendo em pé até elas estarem sentadas. Foote também notou que ele, às vezes, era acompanhado apenas por dois ou três ajudantes, embora

CAPÍTULO 5

suspeitasse que alguns dos clientes e funcionários do restaurante estivessem lá na função de seguranças.

Inúmeros turistas estrangeiros, na década de 1930, tiveram um vislumbre do grande homem na osteria dirigindo-se à sua mesa estritamente pessoal reservada. Muitos deles ficaram surpresos com o quão relaxado Hitler parecia lá e também notaram que a segurança ao seu redor era notavelmente casual. Foote também viu a frouxidão e observou que parecia não haver inspeções regulares no restaurante pelo SS. Foote mencionou seus 'encontros' com Hitler para seus contatos soviéticos e Moscou enviou a ele um companheiro, Len Buerton, também conhecido como Len Brewer, um comunista mecânico de carros de Reading, que também era operador de rádio com conexões para inteligência russa. Os dois conspiradores britânicos foram incentivados a considerar a viabilidade de um ataque a Hitler enquanto ele estava envolvido em sua refeição.

Foote e Buerton monitoraram as idas e vindas de Hitler, fizeram detalhes da equipe uniformizada que o acompanhava e fizeram uma estimativa dos funcionários da segurança que estavam "disfarçados". Eles mapearam o layout da osteria, gravando suas entradas e saídas, além de quaisquer obstáculos ou peculiaridades que pudessem impedir um assassino com a intenção de se aproximar do Führer. No dossiê que eles enviaram para Moscou, eles enfatizaram suas principais descobertas. Naturalmente, Hitler gostava de se sentar de costas para a parede, para que ele pudesse examinar o restaurante à sua frente. Na parede atrás dele havia painéis de madeira pintados com as habituais mitologias bucólicas de cenas de abundância e prazer, e por trás dos painéis estava um vestiário pequeno e pouco usado, feito com paredes finas de gesso. Se uma bolsa ou estojo contendo uma bomba-relógio fosse deixada lá, causaria muitos danos ao salão de jantar. Havia uma chance real de acabar com Hitler.

Foote e Buerton apresentaram seus planos a Moscou e aguardaram a luz verde esperada. E esperaram. Mas não houve resposta do Kremlin. Era agosto de 1939, quando o 'Escória da Terra' e o 'Assassino sanguinolento de trabalhadores' se encontraram e se cumprimentaram no desenho de David Low para discutir a dissecção da Polônia. Em nome de seus mestres, Ribbentrop e Molotov estavam prestes a assinar o tratado de não agressão que garantiu o desaparecimento da Polônia do mapa da Europa. Stalin tinha esfriado bastante a ideia de estragar o almoço de Hitler.

CAPÍTULO 6

1930-34
Conspirações Internas

Na noite de 30 de agosto de 1930, dois guardas de uniforme preto do SS estavam do lado de fora de uma porta em arco que ficava na junção da esquina da Hedemannstrasse com Wilhelmstrasse, no centro de Berlim. A porta estava na entrada principal de um edifício de cinco andares que recuava nas duas direções ao longo destas duas amplas avenidas. No nível da rua, havia unidades de compras enquanto as grandes salas acima foram alugadas como escritórios por várias organizações ao longo dos anos. Muitas haviam sido arrendadas pelo Imperial War Office durante a Primeira Guerra Mundial, quando o espaço de escritórios em Berlim estava em alta. Empresas comerciais vieram e desapareceram assim como fortunas econômicas da Alemanha subiram e desceram durante toda a década de 1920, e uma empresa judaica usou algumas partes do prédio em 1927. Acima da porta, uma suástica preta em um círculo branco indicava quem eram os inquilinos atuais. Só para deixar claro para todos os transeuntes, um grande cartaz com uma águia alada carregava a legenda: 'Aqui apenas os nazistas são necessários.' Acima do letreiro, uma longa faixa vermelha, preto e branco pendia dos quatro andares superiores. O Gauleiter nazista de Berlim ou líder regional, Joseph Goebbels, tinha se mudado dois anos antes, em 1928, quando decidiu implantar seus escritórios nas 25 salas disponíveis neste imponente prédio de esquina. Nessa noite, em particular, Goebbels não estava trabalhando até tarde no escritório, mas estava fazendo um discurso no distrito de Schöneberg no Sportpalast, sua arena favorita na cidade. A maioria de seus guardas estava protegendo-o lá e sua base na Hedemannstrasse estava quase desprotegida.

CAPÍTULO 6

Às 20h30, um grupo de jovens uniformizados saltou de um bonde girando para a esquerda, em frente à porta da esquina. Correndo em direção ao QG de Gau, eles rapidamente arrastaram os guardas surpresos do SS para dentro do edifício e fora da vista do público. Eles, então, começaram a espancá-los - muito. Subindo as escadas correndo, eles arrombaram a porta do escritório de Goebbels e o danificaram, chutando cadeiras, mesas e armários e espalhando seu conteúdo. Eles fizeram um trabalho profissional. Tendo deixado sua marca, saíram do edifício tão rapidamente quanto entraram, segurando pacotes de arquivos que jogaram no canal Landwehr nas proximidades, perto do local onde o corpo do marxista pensador e revolucionário Rosa Luxemburgo tinha sido despejado no inverno de 1919. Eles sabiam que o edifício seria levemente vigiado naquela noite e aproveitaram essa inteligência para enviar uma mensagem gritante a Goebbels e seu mestre, Adolf Hitler. Esses vândalos violentos não eram judeus, nem vermelhos, nem nenhum dos outros grupos que Hitler demonizou em seus discursos. Eles eram nazistas leais, mas insatisfeitos e frustrados, os mesmos homens que carregaram seu líder cada vez mais perto do poder por quase uma década. Eles eram stormtroopers nacional-socialistas, homens da SA.

O Eclipse dos Camisas Marrons

No final da década de 1920, o Partido Nazista corria o risco de se separar e muitos dos homens nas legiões da SA estavam ficando desanimados. Em 1929, eles eram mais de um milhão de pessoas e seus membros continuavam a crescer à medida que a Grande Depressão se aprofundava. Suas fileiras foram inchadas por homens desempregados que estavam afoitos por mudanças sociais e econômicas radicais. Para esses homens, eram as palavras Socialista e Trabalhadores no título do Partido, Partido Nacional Socialista dos Trabalhadores Alemães, que importava. No entanto, a liderança do Partido parecia estar se movendo em uma direção diferente. O primeiro programa de políticas do NSDAP, os 25 pontos publicados em 1920, prometeram uma abordagem socialista à economia: trabalho garantido para todos, abolição da renda com base na 'escravidão', uma expansão da provisão de bem-estar para idosos, o confisco de riqueza obtida com os lucros da guerra, a nacionalização das principais indústrias, reforma de interesse público e um Estado comprometido em apoiar negócios de pequenas famílias. Mas, no final da década de 1920, Hitler e os outros líderes-chaves do Partido pareciam estar dando as costas a esses princípios comunitários. O perfil público dos líderes também estava mudando. Hitler, o lutador de rua, estava se transformando em Hitler, o socialite, viajando em sua limusine e conversando com os ricos e privilegiados na ópera.

Por quase uma década, a SA esteve executando o trabalho braçal da política do Partido Nazista, fazendo incansáveis campanhas nas eleições locais, estaduais e nacionais, recrutando novos membros, distribuindo propaganda, mantendo implacavelmente o KPD em desvantagem e fora das ruas e marchando sem parar para manter o senso de dinamismo e propósito do Partido. Agora, eles corriam o risco de se tornar a ala esquecida do Partido, à sombra das novas organizações influentes SS, as quais eram preferidas pelo comando sênior. Desde o início dos dias de Munique, Hitler sempre quis ser protegido por uma pequena força de elite que era completamente dedicada a ele, em vez de ao Partido e aos seus ideais mais amplos.

A primeira versão modesta desta unidade, a *Saal-Schutz* ou Salão Seguro, foi criada especificamente para manter a ordem nas cervejarias enquanto o líder estivesse discursando. Este grupo de guarda-costas evoluiu através de várias formações e nomes: *Stabswache* (Guarda do Estado-Maior), *Stoßtrupp* (Tropa de Choque), *Schutzkommando* (Comando de Segurança) e *Sturmstaffel* (Esquadrão Tempestade), antes de estabelecer-se como *Schutzstaffel* (Esquadrão de Segurança). Sob o altamente competente e ambicioso administrador Heinrich Himmler, o SS rapidamente se transformou no órgão mais poderoso, influente e bem disciplinado do NSDAP e, posteriormente, do Estado nazista. Ao contrário dos elementos rebeldes na SA, o SS estava mais interessado na ideologia nazista e na teoria racial do que em questões econômicas monótonas. Foi confiado aos três grandes poderosos nazistas que estavam mais próximos de Hitler nesse estágio: Goebbels, Göring e Himmler. Por outro lado, a SA parecia, cada vez mais, uma ralé amadora e semi-independente que era radical demais e corria o risco de ficar fora de controle.

A revolta de Stennes

Os homens da SA que atacaram os escritórios de Berlin Gau foram liderados por Walter Stennes. Um soldado de carreira altamente condecorado, depois que o Armistício Stennes assumiu o caminho seguido por muitos homens desiludidos e desmobilizados, tornando-se um líder de um Freikorps paramilitar. Em 1927, ele era comandante da SA em Berlim e em todo o leste da Alemanha. A

CAPÍTULO 6

causa imediata de suas ações rebeldes em 30 de agosto de 1930 foi frustração. Homens como Stennes haviam se juntado ao NSDAP esperando revolução e eles viram a SA como o núcleo de um futuro exército cidadão revolucionário. Agora, Stennes achava que a SA estava sendo marginalizada. Parte dos recursos financeiros estava sendo claramente desviada para o desenvolvimento do SS ou para projetos de alto nível que pareciam insignificantes para homens de ação, como bandeiras, uniformes, medalhas, desfiles e rumores da extravagância do projeto de estimação de Hitler – a reforma da Brown House em Munique. Hitler parecia estar se distanciando ele próprio da SA: ele até se recusou a conhecer Stennes quando este viajou para Munique para expor pessoalmente suas queixas. A ação da SA na Hedemannstrasse não foi uma conspiração contra Hitler, mas uma manobra desesperada para chamar sua atenção.

No curto prazo, parecia ter funcionado. Um Goebbels atordoado instantaneamente transmitiu a notícia do ataque a Hitler e, em boa medida, acrescentou o fato constrangedor de que o rebelde Stennes se recusava a fornecer homens para policiar seu discurso no Sportpalast naquela noite. Hitler imediatamente pediu desculpas a seu amigo íntimo Winifred Wagner, abandonou o Festival Wagner em Bayreuth e voou para Berlim imediatamente. Tanto ele como Goebbels, já cautelosos com a turbulência nas fileiras da SA, temiam que a insurreição de Stennes pudesse se espalhar para outras cidades. No dia seguinte, Stennes sentou-se com o homem que o esnobara em Munique algumas semanas antes. Hitler era encantador, preocupado e receptivo. Ele ouviu as demandas de Stennes e as atendeu. Na frente de 2.000 Stormtroopers de Berlim, o Führer admitiu que tinha sido distraído por seus muitos deveres e não prestara atenção suficiente às suas queixas. Ele assegurou que novas finanças substanciais seriam reservadas para as necessidades da SA e que o partido forneceria melhor apoio legal aos homens presos pela polícia enquanto executavam tarefas operacionais. Para garantir que a SA fosse melhor conduzida, ele assumiria o comando pessoal da organização como seu líder supremo. Os homens aliviados na multidão naquela noite gritaram seu juramento de lealdade ao Führer. A revolução estava de volta, eles acreditavam.

Hitler teve uma visão diferente do caso. Ele apenas acalmou a situação e ganhou tempo para pensar e se preparar. Desde o fracassado golpe de estado paramilitar de Munique, em 1923, Hitler adotou uma estratégia de longo prazo mais cautelosa, procurando ganhar poder através das urnas em vez de depender de violentas ações nas ruas. Seus planos de longo prazo para a

1930-34: CONSPIRAÇÕES INTERNAS

expansão territorial alemã exigiam o apoio dos industriais da nação e de seus militares profissionais. Eles seriam seus principais aliados no futuro Reich que ele estava planejando. A SA tinha sido uma ferramenta útil nos primeiros dias do nacional-socialismo, mas agora precisava ser colocada em seu lugar e mais estritamente controlada.

Suprimindo a dissidência da SA

Stennes acreditava que tinha agido no melhor interesse do NSDAP, apontando o profundo descontentamento dentro da SA. Hitler parecia grato a ele por expressar suas preocupações, mas ele estava, é claro, silenciosamente furioso. Seu primeiro passo foi retirar seu velho amigo e companheiro guerreiro Ernst Röhm de um autoimposto exílio na Bolívia. Röhm foi, então, nomeado SA Führer, com a missão de fazer seus oficiais regionais, como Walter Stennes, diretamente subordinados a Hitler e Röhm. Sentindo-se traído, Stennes e seus homens se rebelaram novamente. Mais uma vez, eles saquearam os escritórios de Berlin Gau na Hedemannstrasse, mas, desta vez, eles impiedosamente também se apoderaram dos escritórios do *Der Angriff*, o jornal diário calunioso editado por Goebbels. Nos dias 1 e 2 de abril, eles imprimiram suas próprias edições explicando suas ações e sentimentos mas, inevitavelmente, a Berlin SA foi rapidamente expurgada e Stennes foi expulso do NSDAP. Quando o Reich nazista nasceu, em 1933, Stennes e sua família se exilaram. Göring, que se lembrava do galante serviço de guerra de Stennes, o aconselhou, silenciosamente, a não se demorar na Áustria ou na Suíça, um erro que muitos refugiados dos nazistas cometeram naquela hora. Ele conhecia a profundidade da raiva de Hitler e sua capacidade de vingança paciente e, sem dúvida, vira as listas de mortes já em preparação pelo SS. Stennes aceitou o conselho e estava no próximo barco para a China, onde lutou por Chiang Kai-shek contra os comunistas até 1949.

Ao mesmo tempo, Hitler estava tomando medidas para erradicar as raízes ideológicas da discórdia dentro da SA. Os irmãos Strasser, Gregor e Otto, eram os porta-estandartes do que alguns chamavam de 'fascismo social'. Eles defendiam a implementação das políticas amplamente socialistas delineadas no programa fundador do NSDAP, embora o Otto mais radical também mantivesse uma visão de mundo geopolítica distintamente diferente de Hitler. Para Hitler, o melhor inimigo era o coração do bolchevismo, a União Soviética. Otto acreditava que um futuro Estado nacional socialista alemão deveria cooperar

CAPÍTULO 6

Walter Stennes foi um dos poucos nazistas a se desentenderem com Hitler e viverem para contar a história.

com a URSS contra o inimigo maior: os Estados capitalistas ocidentais, que estavam sob o domínio dos judeus internacionais. Figuras importantes do Partido em meados da década de 1920, quando até Joseph Goebbels os havia apoiado, os Strassers e seus seguidores foram marginalizados gradualmente. Hitler deixou claro aos dois irmãos que sua oposição não se baseava apenas em discordâncias sobre a política do Partido, mas também antipatia pessoal.

Gregor Strasser, então, se retirou completamente da política. Otto deixou o NSDAP em 1930 e estabeleceu um grupo nazista separatista, a Liga de Combate dos Nacional-Socialistas Revolucionários, que passou a ser conhecida como a Frente Negra. Várias centenas de homens berlinenses da SA ingressaram na Frente Negra na época da Segunda Revolta de Stennes, em abril de 1931 e o movimento teve mais de 5.000 apoiadores na época em que Hitler se tornou chanceler, em janeiro de 1933. Como Hitler passou a isolar e controlar os vários grupos nacionalistas de "esquerda" na Alemanha, Otto mudou-se primeiro para a Áustria e depois para o Canadá, via Checoslováquia, França, Suíça, Portugal e Bermudas. Ele teve que se manter em movimento porque a Gestapo havia colocado um preço de meio milhão de dólares por sua cabeça.

No entanto, em suas viagens, ele conseguiu encontrar outro grupo de resistência anti-Hitler. Em seu tempo em Viena e Praga, ele travou uma guerra de propaganda contínua contra Hitler e tentou construir uma rede clandestina de dissidentes Camisas Marrons dentro do Terceiro Reich.

Decapitando a SA

O problema da SA continuou a roncar nos primeiros 16 meses do tempo de Hitler como chanceler. Líderes industriais e comerciais da Alemanha agora estavam convencidos de que Hitler era "bom para os negócios", mas eles temiam a conversa persistente de uma "segunda revolução" nos círculos da SA. Ernst Röhm continuou a fazer observações ocasionais de Strasserist, exortando seu velho camarada Hitler a terminar o trabalho que ele se propusera a fazer em 1920. A força da SA também envolvia a elite da liderança do exército alemão. O Reichswehr ainda estava preso a um número máximo de 100.000 homens no Acordo de Versalhes de 1919. Versalhes também estabeleceu regulamentos estritos sobre o tamanho do quadro de oficiais do exército, bem como impôs restrições à fabricação ou importação alemã de tipos específicos de armas e munições. Por outro lado, em 1933, mais de três milhões de homens estavam disponíveis para Röhm e os outros chefes encarregados da SA. E ambos

CAPÍTULO 6

Goebbels e Himmler estavam agora relatando que a presença de tantos jovens atrevidos e intimidadores nas ruas da Alemanha estava sendo questionada pelos cidadãos. Havia realmente uma necessidade de tantos Camisas Marrons agressivos agora que Hitler estava no poder? Hitler entendeu e cada vez mais concordou com esses sentimentos.

O necessário foi posto em ação, mas propostas administrativas do início de 1934, para cortar as asas de Röhm e colocar a SA sob controle central mais rígido, geraram um clima ruim entre Hitler e seu velho amigo. Himmler e a estrela em ascensão do SS, Reinhard Heydrich, compilaram um dossiê cheio de informações que revelavam a extensão da corrupção financeira e sexual de Röhm e foram felizes em entregá-lo ao Führer bastante puritano. Eles tiveram um sinal verde de Hitler para ir em frente e elaborar listas de alvos enquanto o exército estava em alerta total. Hitler telefonou para o ajudante de Röhm e disse que ele iria passar o fim de semana na Baviera e queria conhecer a liderança regional da SA naquela manhã de sábado. A reunião estava marcada para as 11 horas do dia 30 de junho, na bonita cidade de Bad Wiessee, na margem oeste do lago Tegernsee, nos Alpes da Baviera.

Às 6 horas da manhã, a maioria da liderança da SA em Munique havia sido detida e estava na prisão. Hitler, então, liderou um comboio do SS para Bad Wiessee e, às 7 da manhã, as casas e hotéis que continham as lideranças da SA haviam sido fechados.

O Führer, então, pessoalmente confrontou e prendeu Röhm. O SA Gauleiter Breslau e seu catamita foram arrastados de sua cama e alvejados com um tiro na cabeça no jardim do hotel. Quando líderes da SA de outras partes da Alemanha chegaram para a reunião mais tarde naquele dia, eles foram recebidos na plataforma de Bad Wiessee Bahnhof por destacamentos do SS fortemente armados e levados para o seu destino.

Röhm foi detido na prisão de Stadelheim, em Munique, por 36 horas, protestando sua lealdade e aguardando seu destino. Por respeito à sua posição no Partido, ele recebeu uma oferta generosa de seu velho amigo Hitler, transmitido pelo SS. Por seus anos de serviço, ele recebeu o privilégio de acabar com a própria vida. Quando recusou, ele foi instantaneamente executado. Gregor Strasser também foi baleado, embora ele tenha deixado a política completamente e tenha retomado sua carreira como químico mais de um ano antes. Em toda a Alemanha, unidades armadas da Gestapo e do SS foram eliminando outras possíveis fontes de resistência a Hitler.

O próprio chanceler quase se tornou uma das muitas vítimas nazistas naquela manhã. Enquanto sua cavalgada se preparava para retornar a Munique, um caminhão cheio de homens da SA fortemente armados chegou ao hotel onde Röhm estava hospedado. No momento da confusão, e angustiados ao saber que seus líderes tinham sido baleados ou presos, os homens da SA se prepararam para o combate com os homens do SS no pátio do hotel. Hitler interveio e apenas conseguiu convencer os homens da SA descontentes a voltarem para o caminhão e voltarem a Munique. Assim que eles deixaram Bad Wiessee, no entanto, decidiram virar a mesa contra Hitler liquidando sua guarda do SS, matando-o e libertando seus líderes presos. Eles esconderam seu caminhão nas árvores fora da vila, montaram uma emboscada que incluía duas metralhadoras e esperaram que o carro de Hitler chegasse rapidamente na esquina e em sua armadilha. Somente a cautela natural de Hitler e o profundo senso de sobrevivência o salvaram naquela manhã. Suspeitando da atitude do destacamento da SA, ele ordenou a seu motorista seguir uma rota alternativa de volta à cidade. Não seria a última vez que uma decisão repentina de mudar seus planos salvaria a vida de Adolf Hitler.

CAPÍTULO 6

O lutador de rua Ernst Röhm era o líder da Sturmabteilung, especializada em brigas de cervejaria. Em 1934, ele esperava as recompensas que viriam com o poder, mas Hitler deu a ele mais do que ele esperava.

CAPÍTULO 7

1933-38
Resistência na Nova Alemanha

Adolf e Anton tinham muito em comum. Ambos eram austríacos nativos que escolheram lutar no exército imperial alemão durante a Primeira Guerra Mundial. Ambos adquiriram a cidadania alemã numa fase posterior da vida, ambos eram nacionalistas de direita que detestavam socialistas e comunistas e ambos eram fervorosos antissemitas. E os dois inspiraram o jovem intelectual Joseph Goebbels. No início da década de 1920, os dois passaram algum tempo na prisão de Landsberg como resultado de seus crimes políticos e ambos habitaram a cela n°. 7, no segundo andar, embora em momentos diferentes. Havia muito para cada homem admirar nas crenças e ações do outro, mas eles provinham de diferentes contextos sociais e foram separados por um amargo abismo político. Adolf era de origem burguesa, enquanto Anton era um aristocrata de uma família excepcionalmente rica que possuía propriedades na Áustria, Alemanha e Itália. Cada um dos pais de Anton havia trazido imensa riqueza ao casamento e seu tio era o grande historiador e linguista inglês Lord Acton. A casa ancestral da família era o deslumbrante Castello di Arco, que fica no alto de uma montanha, virado para o sul, em direção à ponta do lago Garda. O nome completo de Anton contava sua história por si só: Anton von Pádua Alfred Emil Hubert Georg Graf von Arco-Valley.

Assassino aristocrata

Depois de servir no último ano da guerra, o jovem Arco-Valley se viu no caos de Munique no pós-guerra, onde planejava se matricular na universidade. Ele foi rapidamente sugado para o turbilhão da política da Baviera. Anton Arco-Valley desprezava particularmente Kurt Eisner, o escritor socialista judeu que havia criado o colapso da monarquia da Baviera, em novembro de 1918 e agora era o principal ministro do novo Estado Popular da Baviera. Ele expressou seu desprezo por Eisner matando-o em público em Munique, em 21 de fevereiro de 1919. Eisner estava a caminho da sessão de abertura do recém-eleito Parlamento da Baviera quando Arco-Valley saiu de uma porta e atirou em sua cabeça e em suas costas a curta distância. O assassinato desencadeou vários dias de guerra nas ruas e um ciclo de assassinatos em represália. Arco-Valley não fez nenhuma tentativa de escapar de Munique ou esconder que ele era o assassino. De qualquer forma, o guarda-costas de Eisner havia disparado vários tiros, ferindo Arco-Valley na cabeça, no peito e na coluna. Essas lesões e sua repentina notoriedade e popularidade entre os nacionalistas e monarquistas através da Baviera teriam tornado a fuga ou o subterfúgio impossíveis e desnecessários. Muitos o consideravam um filho heroico e patriótico da Baviera pelo assassinato do judeu bolchevique. Graças a um juiz simpático ao conservadorismo, Arco-Valley evitou a forca e foi enviado para a relativamente confortável Prisão de Landsberg por cinco anos.

Todos devem ficar calados

Após sua libertação, em 1925, ele assumiu uma série de deveres de propaganda para grupos monarquistas e federalistas na Baviera. Ele acreditava que a velha Dinastia Wittelsbach deveria ser restaurada e esperava que a Baviera recuperasse as semi-independentes capitais germânicas de Viena e Berlim das quais tinha desfrutado no passado. Isso o levou a um sério conflito com Hitler, que não tinha tempo para a velha configuração histórica de pequenos principados e cidades livres imperiais que, em sua opinião, haviam enfraquecido a Alemanha por séculos. A visão de Hitler era de um estado nacional forte e unificado, que continha todas as etnias alemãs vivendo na Europa Central e Oriental dentro de suas fronteiras. Em seus dias nos salões de cervejarias em Munique, ele desejava interromper as reuniões de monarquistas "separatistas" e acabar como os comunistas. Arco-Valley também faria os nazistas caírem em desgraça de outras maneiras.

Como muitos em sua classe social, ele era conhecido por fazer comentários depreciativos sobre 'o pequeno cabo' e ele continuou repetindo essas observações publicamente depois que Hitler se tornou chanceler, em janeiro de 1933.

1933-38: RESISTÊNCIA NA NOVA ALEMANHA

Anton von Pádua Alfred Emil Hubert Georg Graf von Arco auf Valley, para dar seu nome completo, nasceu com uma colher de prata na boca, mas isso não o impediu de ser sugado pela política reacionária.

Ele também fez uma declaração muito mais perigosa: ele disse que ficaria feliz e orgulhoso de cometer outro assassinato político, se necessário. Aos olhos do SS e da Gestapo, o suposto alvo desse orgulho só poderia ser Hitler. Arco-Valley rapidamente se viu sob observação e depois sob custódia. Aí foi persuadido a dar às novas autoridades a sua garantia de que evitaria insultar ou agredir o novo Führer ou qualquer outro líder nazi de qualquer forma. Nestas circunstâncias, Anton concordou. Como um nobre, ele estava destinado a cumprir sua palavra e foi, portanto, rapidamente liberto, mas permaneceu sob vigilância discreta. Ele comportou-se de forma prudente ao longo dos anos de nazismo e, em 1941, a pena de morte técnica que lhe tinha sido aplicada em 1920 pelo assassinato de Eisner foi riscada dos registos do tribunal de Munique. Na realidade, o Arco-Valley era um assassino improvável. Provavelmente, ele nunca tenha considerado assassinar Hitler, mas a sua detenção e interrogatório pelas autoridades nazis enviou uma mensagem muito clara às antigas classes altas de que até uma língua privilegiada tinha de ser mantida sob controle na Nova Alemanha.

Policiados por abreviaturas

Uma vez plenamente estabelecido o novo Terceiro Reich, os seus cidadãos encontraram-se monitorizados e policiados por uma colecção de abreviaturas e iniciais variáveis. A partir de 1936, a polícia trabalhava todos os dias para manter a segurança cívica, além das organizações de emergência, tais como a guarda costeira e os bombeiros, eram responsabilidades da Ordnungspolizei, conhecida como Orpo. Puramente penais, as investigações de detectives que não tinham implicações de segurança estavam nas mãos do Kriminalpolizei ou Kripo. Desde 1931, o *Sicherheitsdienst* ou SD vinha agindo como serviço de informações do partido nazi e do SS, mas sob o comando de Himmler e seu assistente Heydrich, adquiriram poderes de supervisão cada vez maiores sobre a população. Em 1936, Himmler controlava também o *Geheime Staatspolizei* ou Gestapo, um acordo que visava incentivar uma cooperação mais eficaz entre os órgãos do Estado e do partido. Em 1939, uma grande reforma colocou a maior parte das agências de segurança e polícia do país sob um único comando, o RSHA ou Reich Main Security Office.

Ao contrário da imagem apresentada por Hollywood de um tudo vê, tudo sabe e uma rede implacavelmente eficiente de agentes e espiões, a rede alemã policial e de segurança no Terceiro Reich se virou como todas estas organizações ao longo da história. Sofreu com as mesmas questões de jurisdição, sobreposição, intercomunicação deficiente, rivalidades pessoais e departamentais e atribuição incorreta de recursos que afetaram todos os sistemas governamentais complexos. A falta de mão-de-obra experiente era comum a todos os organismos acima referidos e esse problema só aumentou depois de 1940, quando oficiais experientes se viram desviados para o esforço de guerra, muitas vezes para *Waffen* ou unidades armadas como os batalhões de homens Orpo que se viram nas tarefas de mais baixos níveis militares na Europa Oriental ocupada. Dentro do Reich, a Gestapo nunca teve recursos suficientes para lidar com a superabundância de informações que chegavam. Desde a sua fundação na Prússia, em 1933, foi inundada por uma contínua enxurrada de queixas e suspeitas apresentadas por cidadãos leais ao Reich, que suspeitavam de atos traidores de seus vizinhos ou até de parentes próximos. Demorou tempo e energia valiosos para percorrer a papelada para descartar as muitas denúncias que foram alimentadas por disputas locais ou malícia conjugal e encontrar evidências reais.

Os acordos de segurança pessoal de Hitler exemplificaram o problema do governo alemão durante o Terceiro Reich. Em momentos diferentes, em diferentes locais e em diferentes tipos de eventos, ele foi protegido por inúmeras agências - o Führer Schutzkommando FSK, o Führer Begleitbattalion FBB, o Führer Begleitkommando FBK e Leibstandarte SS Adolf Hitler LSSAH - todos com responsabilidades conflitantes e sobrepostas. Em pelo menos uma ocasião, a falta de comunicação entre esses órgãos levou Hitler a chegar a um ponto quase vazio da plataforma ferroviária acompanhado apenas por um ajudante, uma secretária e um motorista. Em outro caso, o motorista de Hitler acelerou fundo quando percebeu que uma gangue de homens armados em um carro preto apareceu e estava aproximando-se a toda velocidade. No entanto, eles eram apenas uma escolta oficial que havia entrado na estrada de um local escondido quando o carro do Führer entrou no setor de responsabilidade deles.

Células de resistência

As autoridades nazistas também não eram tão cruéis e eficientes quanto gostariam quando encontravam e destruíam grupos oposicionistas, embora tenham melhorado com o tempo. Walter Loewenheim era bem conhecido pelos nazistas muito antes deles chegarem ao poder. Membro ativo de vários grupos de esquerda em toda a década de 1920, incluindo os Spartakistas, os Socialistas Livres e o KPD, ele acabou deixando os comunistas em 1927, protestando contra sua relutância em mobilizar a classe trabalhadora alemã contra os nazistas e outros partidos fascistas na Alemanha. Desesperado para provocar uma reação mais militante aos

CAPÍTULO 7

Hitler reduzido a uma figura solitária ao pegar a estrada novamente em outra viagem cansativa para encontrar seu público adorador.

nazistas, ele fundou uma célula clandestina, o Círculo 29, que mais tarde ficou conhecido como Organização Leninista. Loewenheim esperava que esta fosse a fundação de uma rede de líderes socialistas alemães que estariam prontos para tirar proveito do inevitável colapso do hitlerismo previsto pelos teóricos marxistas. Em outubro 1933, seu programa de ação, *Novos Recomeços*, foi publicado em Praga e contrabandeado para a Alemanha para distribuição aos trabalhadores das principais indústrias. No final de 1934, o grupo de Loewenheim podia ter cerca de 500 membros, até que, como muitos outros grupos de esquerda, se dissolveu em uma linha faccional. Nessa época, todos os partidos democráticos de esquerda, como os social-democratas há muito tempo, foram suprimidos ou dissolvidos. Os membros do KPD que não tinham ainda perecido nos campos ou ainda estavam definhando, em muitos casos, se reinventaram como nazistas de Beefsteak, aqueles retardatários muito ridicularizados às fileiras da SA que eram marrons por fora, mas vermelhos por dentro. No entanto, Loewenheim continuou a publicar e distribuir planilhas e panfletos que chegavam aos trabalhadores da fábrica na maioria das cidades industriais alemãs. Ele só deixou a Alemanha em setembro de 1935, em parte porque suas atividades clandestinas tiveram pouco impacto e também porque ele começou a sentir a Gestapo respirando em seu pescoço.

Um fã de Stalin

Embora a Gestapo finalmente tenha prendido o subversivo Ernst Niekisch em 1937, as autoridades nazistas o tratavam de maneira relativamente branda por seus padrões. Talvez porque havia elementos no pensamento político de Niekisch que concordavam com o nazismo. Ele era um nacionalista alemão orgulhoso e hostil ao Tratado de Versalhes que havia deixado a Alemanha humilhada, militarmente fraca e despojada de grande parte de suas fronteiras. Além disso, ele era antissemita e antidemocrático e algumas de suas observações contra o "capitalismo judaico internacional" poderiam ter vindo do tabloide antijudaico semanal nazista, *Der Stürmer*. Assim como os nazistas, Neikisch também acreditava que a Alemanha precisava de um líder forte com poderes ditatoriais. No entanto, seu apoio e admiração foram oferecidos a Josef Stalin em vez de Adolf Hitler.

No início do pós-guerra, em Munique, ele havia apoiado Eisner e depois o Social-democratas, não Hitler e seus nazistas. Como alguns da 'ala esquerda do Partido Nazista', como os irmãos Strasser, ele argumentava que a Alemanha deveria cooperar com a União Soviética contra os ocidentais corruptos e democracias fracassadas. Além disso, ele pensava que Hitler era um demagogo vulgar e que a concentração de todo poder em suas mãos, o chamado Princípio de Führer, era uma fundação rasa para a construção de uma Alemanha melhor.

Por outro lado, Niekisch elogiou o planejamento coletivo soviético e os Cinco Planos Anuais, que pareciam estar construindo uma economia poderosa na década de 1930. Em vez de nacional-socialismo, ele chamou sua receita política particular de nacional Bolchevismo. No nível pessoal, ele detestava profundamente Hitler e uma reunião com seu o ex-amigo e defensor Goebbels quase terminou em uma briga. Niekisch não fez segredo algum de suas opiniões: em 1926, tornou-se membro dos velhos socialistas, publicou o jornal antinazista Widerstand ou 'Resistência' até dezembro de 1934 e continuou a distribuir seu panfleto de 1932, 'Hitler - um desastre alemão', muito tempo após o estabelecimento do Terceiro Reich, quando ele finalmente foi acusado de alta traição e condenado à prisão perpétua. Ele teve sorte. Outros foram executados por muito menos nos expurgos de 1933 e 1934. Mais de 1.100 "velhos socialistas" foram presos pela Gestapo somente em 1935, mas Niekisch desfrutou de mais alguns anos de liberdade do que a maioria. Um boato sugeriu que ele tinha amigos em altos postos nazistas, graças à sua infância na cidade bávara de Nördlingen, enquanto outros disseram que a Gestapo tinha se esquecido dele. Ele finalmente saiu da prisão em 1945.

O mistério de Grunow

Houve muita sorte na sobrevivência ou não do grupo clandestino de resistência na década de 1930. Os membros do círculo de Markwitz, um pequeno grupo de resistência social-democrata, certamente discutiu seu desejo de eliminar Hitler e pensou um pouco sobre a mecânica de assassinar alguém tão bem protegido. No entanto, o grupo passou a maior parte do tempo distribuindo literatura oposicionista, que armazenou no pub onde realizava suas reuniões, por isso foi rapidamente detectado e infiltrado pela Gestapo. Cerca de uma dúzia de membros do grupo foi condenada à prisão perpétua. Por outro lado, o ex-nazista, agente Heinrich Grunow, sustentou sua campanha de resistência contra Hitler por quase uma década. Grunow deixou o NSDAP em 1932 após entrar em contato com Otto Strasser e juntar-se à Frente Negra. Ele foi preso no verão de 1933, quando os nazistas realizaram sua primeira grande investida contra os socialistas e comunistas. Felizmente, ele foi considerado uma ameaça menor e passou apenas dois meses em um campo de "reeducação". Uma vez solto, ele se uniu a Otto Strasser em Praga.

Em seu livro *Flight from Terror*, publicado pelo New York Book Club, em 1943, Strasser contou uma história convincente da contribuição de Grunow para a luta contra o fascismo. Grunow, aparentemente, se aproximou de Strasser em 1935, alegando ser um membro da guarda pessoal de Hitler no Berghof e algo como a transformação de um modesto chalé de Hitler em um complexo imperial. Grunow estava determinado a matar Hitler em vingança pelo assassinato de seu amigo e mentor Ernst Röhm, no verão anterior. Seu plano envolvia o novo caminho que estava sendo construído para o Berghof. Os carros tinham que desacelerar próximos a uma curva fechada, delimitada por pinheiros, o local perfeito para um atirador. Strasser encorajou Grunow e assegurou que a Frente Negra o apoiaria de qualquer maneira possível. Dois dias mais tarde, ele recebeu uma ligação que confirmou que Grunow havia retornado imediatamente ao Reich e realizado com sucesso sua tarefa.

Grunow tinha esperado à noite, perto da curva arborizada, seus olhos seguindo os faróis distantes serpenteando pela colina e balançando de um lado para o outro em cada canto da estrada, sinalizando a aproximação do Mercedes do Führer. Ele podia ouvir as engrenagens quando o veículo chegou ao trecho de superfície inacabada. A limusine estava perto o suficiente para Grunow ver que havia apenas dois homens no carro, Hitler e seu motorista Julius Schreck. Ambos poderiam ser facilmente distinguidos ao luar alpino, então Grunow apontou seu rifle e lidou com seu alvo. A figura no banco do passageiro da frente estremeceu e tentou se levantar, arranhando o ar e dando seu último uivo. Ele tinha acertado seu homem, pensou. O bigode "escovado" dele era claramente visível. O Führer recuou no banco enquanto o motorista apertava o pedal e derrapava na armadilha de cascalho áspero. Agora que sua missão tinha sido concluída e sabendo o que futuro lhe reservava se caísse nas mãos dos nazistas, Grunow tirou um revólver da jaqueta, enfiou o cano na boca e puxou o gatilho. Ele nunca descobriria que seu empreendimento tinha sido um fracasso e que sua morte foi em vão.

Strasser explicou tudo. No início daquela noite em Munique, Schreck estava sofrendo com um dente gravemente infeccionado, com muita dor na mandíbula, e o Führer, apaixonado por carros, teria ficado feliz em trocar de lugar com seu antigo amigo. O bigode que Grunow tinha visto era de Schreck, que tinha imatado o de Hitler como um sinal da profunda amizade entre os dois velhos camaradas; e também, havia rumores de que Schreck costumava agir como dublê de Hitler. Em seu livro, Strasser contou a história de o luar matando com vigor dramático e ironia trágica. Mas Strasser era um personagem maior do que a vida e um grande contador de histórias que se deleitava em contar e exagerar as histórias que ele compartilhava com seus amigos ao redor de uma mesa ou no bar. Uma vez em segurança na Grã-Bretanha ou nos EUA, muitos nazistas ganharam dinheiro ven-

CAPÍTULO 7

dendo suas reminiscências de vida no Reich. Muitos eram culpados dos pecados de exagero e omissão e todos estavam ansiosos para garantir que a sua versão dos eventos fosse lembrada. Strasser em particular sabia como criar uma história de maneira a atrair a atenção de um editor e manter seus leitores virando a página.

De fato, as verdadeiras aventuras de Heinrich Grunow não precisavam de elaboração. Depois que ele foi solto dos campos, em 1933, Grunow passou os próximos sete anos trabalhando como mensageiro secreto para várias organizações antinazistas. Em 1936, as autoridades nazistas mudaram de ideia sobre sua inofensividade e tentaram sequestrá-lo, atraindo-o para uma reunião em Zinnwald, perto da fronteira da República Tcheco-Alemã. Embora Grunow tenha sido muito espancado no encontro, a operação falhou. Ele escapou e continuou seu trabalho entre a sempre crescente comunidade emigrada em Paris. No outono de 1939, ele discutiu a viabilidade dos planos de matar Hitler com a Agência de Inteligência Militar Francesa *Deuxième*. Isso vazou de volta para Berlim e o Escritório Principal de Segurança do Reich colocou Grunow na lista de inimigos públicos perigosos a serem presos no caso de uma invasão bem sucedida à França. Por precaução, ele também foi adicionado à lista de indivíduos a serem reunidos pelo SS uma vez que a Wehrmacht ocupasse as ilhas britânicas. A Gestapo finalmente o prendeu em Paris depois da queda da França, na primavera de 1940 e ele morreu, ou foi morto, no campo de concentração em Sachsenhausen, em março de 1945. Até então, os órgãos de segurança do Terceiro Reich tinham muito mais prática em capturar e eliminar seus inimigos.

O dissidente alemão e ex-membro do Partido Nazista Otto Strasser se dirige a membros da Frente Negra, em Burg Lauenburg, Saxônia, 1932.

CAPÍTULO 8

1935-38
Conspirações Inexplicáveis

O jovem no compartimento do trem podia ouvir e sentir o trem desacelerando. Então, a convergência repentina de uma dúzia ou mais de ferro, separado em uma massa de faixas paralela, confirmou que ele estava quase na Estação Ferroviária de Nuremberg. Seu bilhete para a viagem de Praga a Stuttgart, onde ele viveu até o ano anterior, era datado de 20 de dezembro de 1936. Uma nova lei dizia que estudantes de sua religião não podiam mais se matricular em universidades alemãs, então ele foi estudar na Tchecoslováquia. Embora sua família próxima tivesse logo se juntado a ele no exílio, ainda havia parentes e amigos em Stuttgart, portanto, ele tinha motivos para viajar para lá. Porém, ele pretendia interromper sua jornada curta e descer do trem em Nuremberg. Suas instruções eram simples, claras e tinham sido marteladas em sua memória por Heinrich Grunow, seu treinador da Frente Negra, localizada em Praga.

Um quarto individual havia sido reservado para ele em um pequeno e tipicamente indescritível "hotel ferroviário" do outro lado dos trilhos de bonde que atravessavam a praça *Bahnhofplatz*. Depois de fazer o check-in, ele foi instruído a sair novamente para um passeio pelas impressionantes muralhas medievais de Nuremberg. Em algum momento, ele iria esbarrar em um contato da Frente Negra que colocaria dois pequenos bilhetes de papel em sua mão. Estes poderiam ser trocados no guichê de bagagem na estação por duas malas, que possivelmente tinham seguido uma rota tortuosa para Nuremberg através das colinas densamente arborizadas que percorriam grande parte da fronteira tcheco-alemã. Elas continham explosivos.

CAPÍTULO 8

Depois de recolher seus dois itens da bagagem, o jovem estava livre para começar a pensar na melhor maneira de usá-los. Seu treinador entendia bem as dificuldades de realizar as ações clandestinas em território inimigo. Sempre havia muitos riscos, imprevistos e obstáculos inesperados para seguir um plano rígido. No entanto, o jovem terrorista judeu voluntário era inteligente e capaz aos 20 anos de idade e o alemão era sua língua nativa. Ele parecia profundamente comprometido em realizar um ataque que de alguma forma abalaria os nazistas, em uma cidade que Hitler chamou 'nossa bela e histórica cidade de desfile'. Grunow, portanto, não lhe dera um alvo específico, mas deixou para o jovem Helmut Hirsch fazer seu próprio julgamento sobre o dia em que poderia realizar a façanha.

Grunow, no entanto, sugeriu dois alvos que poderiam ser adequados para as bombas da bagagem do jovem. O primeiro era o QG nazista regional ou Gau Haus, na praça Marienplatz, agora renomeada praça Schlageter Platz, após um dos "mártires" da SA que havia caído ao lado de Hitler no Putsch de 1923. Era um bloco ocupado por escritórios, mas levemente policiado. Outro alvo possível era o prédio onde Julius Streicher produzia seu jornal selvagem antissemita *Der Stürmer*. Novamente, esse também era levemente guardado, afinal, as instituições nazistas tinham poucos inimigos em Nuremberg em 1935. Se Hirsch tivesse sorte, ele poderia aproximar-se do maior alvo de todos eles.

Todos os anos, em 24 de dezembro, Hitler se reunia com seus apoiadores mais antigos em um evento especial de Véspera de Natal, em Munique. Ele era conhecido por gostar de parar em Nuremberg, a caminho da Baviera, vindo de Berlim, geralmente hospedando-se no Deutscher Hof Hotel. Da varanda dele, que continha as palavras "HEIL HITLER" sob gigantescas luzes de Natal, o Führer podia contemplar a mais bela das cidades alemãs enfeitadas com suas roupas festivas, em meio à habitual panóplia de gigantes bandeiras da suástica. Hitler tinha estado em Nuremberg pela última vez em 8 de dezembro, mas foi para o norte da capital para uma série de reuniões com os embaixadores poloneses e britânicos. Era muito provável que ele parasse em Nuremberg de volta ao sul para sua festa de Natal em Munique, então, Hirsch e Hitler estariam na cidade ao mesmo tempo. Um ataque bem-sucedido ao Führer parecia improvável mas, Grunow encolheu os ombros, os assassinos às vezes têm sorte, como Gavrilo Princip, descoberto em 1914. Na falta de todas essas possibilidades, Hirsch poderia levar suas malas ao campo de reunião do Partido Nazista nos arredores da cidade e ver que danos poderia infligir sobre os edifícios simbólicos de lá.

Segundas intenções

Esse era o plano vago. Infelizmente, na estação ferroviária de Nuremberg, Hirsch começou a refletir sobre sua posição. A viagem de cinco horas lhe dera tempo para pensar nos riscos que estava assumindo. Uma coisa era sentar-se em um bar em Praga com colegas conspiradores e voluntários para a ação, outra muito diferente era estar sozinho no coração do Reich nazista. Hirsch ficou consternado pelo longo atraso na fronteira alemã e a maneira muito minuciosa como os guardas examinavam a papelada e os planos de viagem de todos que atravessavam a fronteira. Ele convencera facilmente seus pais de que ia esquiar com os amigos por alguns dias nas colinas ao norte de Praga, mas os guardas de fronteira que o questionaram realmente foram convencidos por sua história? Ele disse que estava voltando para Stuttgart para ver sua mãe, que estava doente.

De fato, a Gestapo já sabia que toda a família Hirsch estava vivendo junta em Praga naquele momento. A Frente Negra havia sido penetrada por pelo menos um agente duplo e a Gestapo sabia sobre o vínculo de Hirsch com a Frente. Eles devem tê-lo observado no trem, talvez notando sua crescente tensão e como sua determinação evaporou. Hirsch decidiu permanecer no trem em Nuremberg e nunca encontrou seu contato ou as malas. Em vez disso, ele viajou por todo a caminho de Stuttgart, esperando encontrar um velho amigo da escola e discutir o que deveria fazer a seguir. Tarde da noite, ele se hospedou no Hotel Pelikan, outro hotel ferroviário indefinido. Foi lá que a Gestapo o prendeu, depois da meia-noite de 21 de dezembro. Nem o contato, nem os explosivos conseguiram de longe entrar na Alemanha, pois os dois rapidamente caíram nas mãos da Gestapo.

Depois de muitas semanas de prisão solitária e 'interrogatório', Hirsch foi julgado por alta traição. Tecnicamente, ele ainda era um cidadão alemão, não sendo bem-vindo aos olhos do regime nazista. A acusação secundária era posse de explosivos para cometer um ato criminoso, embora seja quase certo que ele não carregava nenhuma arma durante seu breve retorno à Alemanha. Além do mais, ele foi acusado de ter a intenção de assassinar o Führer. Quando ele foi convidado a confirmar isso, o jovem estudante, bravamente, mas imprudentemente, afirmou que queria muito matar Hitler. Sua resposta honesta chamou a atenção da imprensa estrangeira e deu a ele um pouco de tempo como consequência.

O pai de Hirsch, Siegfried, havia trabalhado nos EUA antes de 1914 e tinha cidadania americana, então, Helmut reivindicou e ganhou a cidadania americana, embora ele nunca tivesse estado nos EUA. O caso agora tinha tomado uma dimensão internacional, com jornais, políticos e diplomatas, americanos e europeus, participando de uma vigorosa campanha por sua libertação. A Liga das Nações e a Cruz Vermelha Internacional apelaram em seu nome, enquanto a Noruega ofereceu dar a ele asilo e garantir seu futuro com bom comportamento. Hitler era impassível. Helmut Hirsch foi decapitado na Casa da Morte, na Prisão de Plötzensee, em 4 de junho de 1937.

Uma oposição fraturada

Hirsch era verdadeiramente um inocente no exterior. Seu único crime foi o desejo de mostrar ao mundo que os judeus não eram apenas vítimas passivas, mas eram capazes de tomar uma posição contra seus opressores nazistas. No entanto, sua experiência revelou que, em meados de década de 1930, a Gestapo havia desenvolvido sistemas e procedimentos mais eficazes e que suas habilidades de coleta e monitoramento de inteligência se estendiam além das fronteiras do Reich. Hirsch foi seguido por agentes alemães desde o momento em que se despediu dos pais em Praga e partiu em sua busca inútil.

Outros planos para interromper o regime nazista e atacar sua liderança nos anos entre 1935 e 1939 foram igualmente fúteis. As conspirações eram frequentemente feitas com pessoas sozinhas ou, no máximo, em um grupo muito pequeno, com pouca organização real de suporte. Além do mais, os ativistas envolvidos quase sempre careciam da formação militar ou técnica para evitar a atenção dos alemães, as organizações de segurança e se aproximar de um alvo nazista significativo: poucos tinham treinamento de campo. Tentativas de se aproximar o suficiente de uma figura de destaque, como Hitler, ficaram cada vez mais desesperadas com o círculo de segurança em torno do Führer se tornando cada mais profissional. As fontes de dissidência que poderiam ter lançado uma ameaça organizada ao regime nazista ficaram paralisadas.

A rápida imposição de um estado totalitário em 1933 decapitou e desmoralizou o Social-Democratas e o KPD e o restante dos vestígios subterrâneos desses partidos não cooperou contra seu inimigo comum. O SPD sempre desconfiou dos comunistas antidemocráticos, que assumiram, como sugerido pela interpretação marxista da história, que o hitlerismo era um fenômeno temporário e estava inevitavelmente desintegrando-se rapidamente como resultado de suas contradições internas. Além disso, os comunistas restantes na Alemanha, seguiam as instruções de seus mestres em Moscou. Esses líderes alemães da KPD, que escaparam para a União Soviética no primeiro ano ou mais do novo Reich, logo estavam fora de contato com as realidades dentro da Alemanha. E Stalin demorou a apreciar o quão belicoso Hitler realmente era. Ele esperava que a Rússia e a Alemanha acabassem por chegar a algum tipo de entendimento geopolítico, então os remanescentes da KPD deixados para trás na Alemanha não foram encorajados a balançar o barco. Foi deixado para indivíduos e grupos muito pequenos tentar desestabilizar a liderança nazista.

Assassinatos em Davos e Paris

O caso de David Frankfurter, outro assassino judeu em potencial, mostrou quão difícil era para lobos solitários se aproximarem de seus principais inimigos. Frankfurter era um estudante de medicina que deixou a Alemanha em 1933 para morar na Suíça. Suas frequentes visitas de retorno ao Reich para contatar amigos e familiares o deixavam muito ciente de como as condições da vida cotidiana dos judeus alemães estavam se deteriorando. Como Hirsch, Frankfurter queria fazer uma declaração de desafio judaico, mas desde o início, percebeu que não havia expectativa de sucesso se fosse ambicioso demais. Ele pensara em assassinar Hitler, mas rapidamente admitiu que matar um nazista na Alemanha era quase impossível, então, decidiu fazer algo sobre a maré crescente do nazismo em seu lar adotivo.

Depois de praticar como disparar uma pistola, partiu para assassinar Wilhelm Gustloff, um cidadão alemão que fundou uma seção estrangeira do NSDAP para promover valores e atividades nazistas na Suíça. Em 4 de fevereiro de 1936, Frankfurter se apresentou na casa de Gustloff em Davos, no leste da Suíça, matou-o com vários tiros na cabeça e no tronco, depois se entregou às autoridades locais. Os nazistas transformaram Gustloff em um mártir racial, proclamando que seu assassinato foi mais uma de muitas evidências da conspiração global judaica para subverter a raça ariana. Gustloff desfrutou de um luxuoso funeral de Estado em sua cidade natal em Schwerin, do qual participou todo o alto escalão nazista, e a Alemanha colocou imensa pressão diplomática sobre a Suíça, criticada por abrigar judeus e outros dissidentes antinazistas. Felizmente, Berna ignorou o clamor da imprensa alemã para que o assassino fosse deportado de volta ao Reich e enfrentasse sua punição lá. Os suíços condenaram Frankfurter a 18 anos de prisão, o que possivelmente salvou sua vida. Ele foi libertado em 1945, quatro semanas após a morte de Hitler.

Frankfurter esperava que seu ato inspirasse pelo menos outros judeus a pôr fim em seus opressores e, talvez, até os incentivasse a planejar uma organizada

CAPÍTULO 8

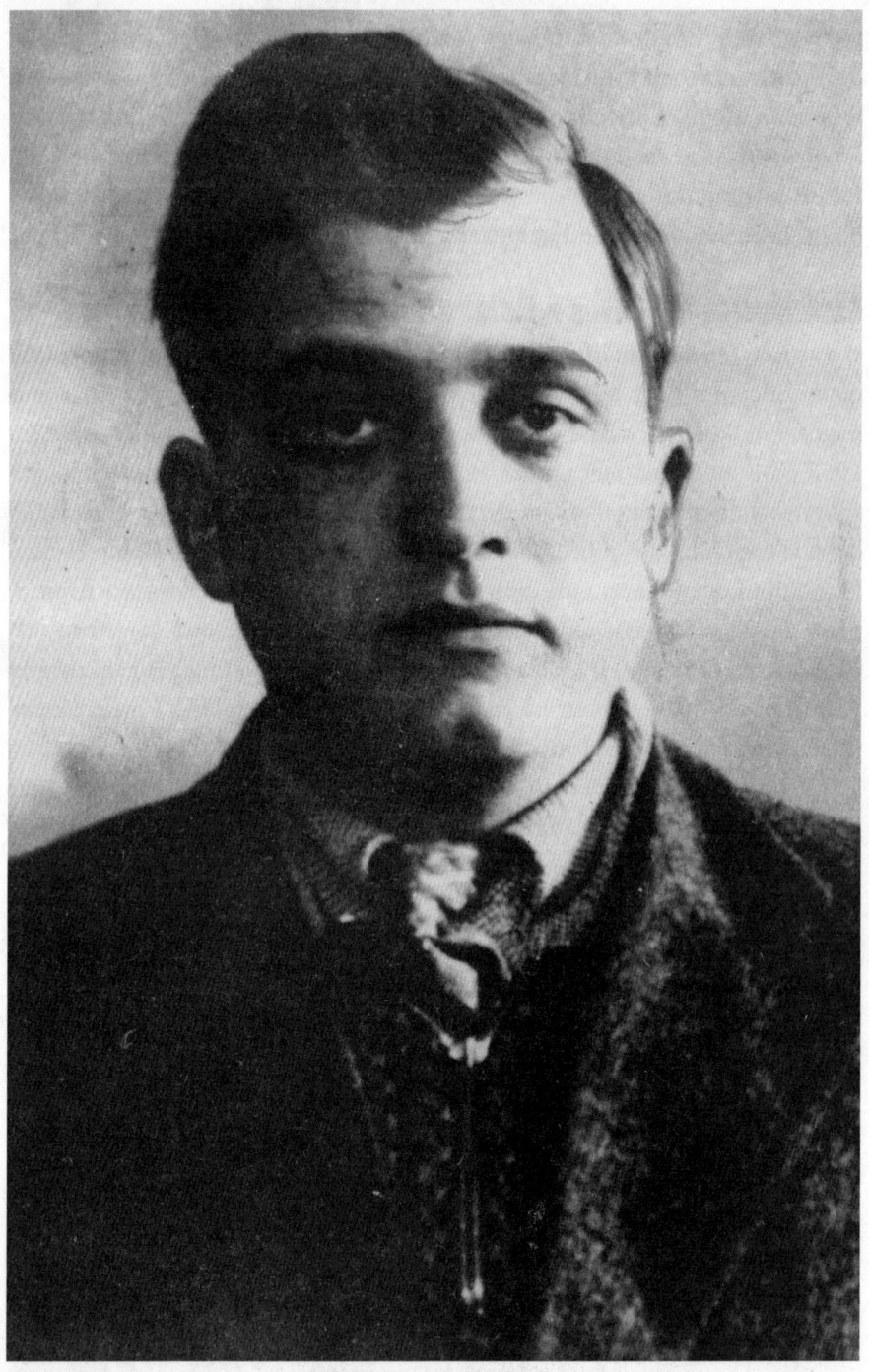

David Frankfurter pensou em pôr fim em Adolf Hitler, mas finalmente optou por matar Wilhelm Gustloff.

insurgência contra o nazismo. Não houve revolta geral, mas um estudante judeu-polonês de 17 anos acabou seguindo os passos de Frankfurter. Em 7 de novembro de 1938, Herschel Grynszpan entrou na Embaixada da Alemanha em Paris alegando ser um cidadão alemão com informações confidenciais importantes para o embaixador. Contudo, Sua Excelência o Conde von Welczeck tinha, de fato, acabado de sair do prédio, passando por Grynszpan no corredor. Seu ambicioso assassino não o reconheceu e, portanto, teve que se contentar com alevinos menores na forma de um oficial diplomático júnior, Ernst vom Rath, que levou cinco balas no peito. A vítima de Grynszpan lutou pela vida nos dois dias seguintes, sem sucesso, mesmo com a presença dos melhores cirurgiões de Paris e Karl Brandt, o médico favorito de Hitler do momento. A morte de vom Rath deu aos nazistas outra oportunidade para fazer 'algo positivo' sobre a ameaça judaica. O Kristallnacht pogrom, a noite do vidro quebrado, ocorreu na noite de 9 a 10 de novembro de 1938, o aniversário do 1923 Munich Beer Hall Putsch, poucas horas depois de Hitler ser informado da morte de vom Rath.

SS falso

Se Hitler estava muito bem protegido por seus guarda-costas do SS, por que não se infiltrar no SS e substituir os partidários de Hitler por oposicionistas? Essa foi a lógica solução para o 'problema Hitler' que ocorreu ao Dr. Helmut Mylius, em 1934. Mylius era um empresário de sucesso, com interesses industriais e seu próprio interesse de publicação. Sua política era conservadora e liderou uma pequena organização que defendia mais apoio a empresas privadas e pequenos negócios. Mas ele não se importava muito com o governo de Hitler e dos nazistas. Eles pareciam mais engajados com questões ideológicas do que com o funcionamento prático da economia alemã. Em algum momento no final de 1934, Mylius entrou em contato com um personagem muito mais pitoresco, que compartilhou algumas das suas opiniões sobre o novo governo.

O capitão Hermann Ehrhardt era um veterano da Batalha da Jutlândia e foi um 'convidado' da Marinha Real em *Scapa Flow*, no final da Primeira Guerra Mundial. Uma figura proeminente na Alemanha durante os anos de caos pós-guerra, comandou sua própria brigada Freikorps de mais de 6.000 homens, muitos deles ex-oficiais navais monarquistas como ele. Com a conivência do chefe de polícia de Munique, Ernst Pöhner, dirigiu a Bavarian Wood Products Company. Esta foi a fachada para a Organização Cônsul, um esquadrão de assassinos terroristas operando em toda a Alemanha em 1922. Até o final da-

CAPÍTULO 8

quele ano, o CO tinha se transformado em uma organização mais pública, a Liga Viking, que era semelhante à SA de Hitler.

A estrela de Ehrhardt diminuiu em 1923, quando Hitler passou a dominar a direita radical política no sul da Alemanha. Muitos de seus homens desertaram para as fileiras de Hitler e Ehrhardt foi marginalizado. Tentativas de vincular os remanescentes de seu grupo com os dissidentes do Nacional-Socialistas, como os irmãos Strasser e Walter Stennes consumiram muito do seu tempo, mas não deram em nada. No início de junho de 1934, Ehrhardt viajou de repente para a Áustria e não voltou. É provável que um de seus velhos camaradas que o abandonaram por Hitler tenha tido a decência de deixá-lo ciente de que estava na lista de homens a serem liquidados no expurgo das Facas Longas.

Dois parceiros improváveis no crime, o Dr. Mylius e o capitão Ehrhardt tinham uma coisa em comum: uma antipatia pelos nazistas. As fofocas de rua que eventualmente alcançaram os ouvidos da Gestapo diziam que os dois estavam planejando infiltrar homens no SS em que eles, e não Hitler, podiam confiar. Provavelmente, Ehrhardt estava esperando para fazer contato com alguns de seus ex-homens que estavam agora no SS e usar suas velhas amizades e memórias compartilhadas. Também havia rumores de que mais de 160 membros do SS que eram homens de Ehrhardt estavam prontos para obedecer ao antigo comandante. O papel de Mylius era provavelmente financiar as viagens e despesas. Como muitas outras tramas sussurradas do período, foi baseada em uma fantasia.

Os homens que Hitler escolheu para protegê-lo eram fanáticos do Nacional-Socialistas e estavam ligados a ele por um profundo senso de lealdade e honra pessoal. Como os velhos guerreiros de confiança desde os primeiros dias em Munique tinham sido promovidos ou se tornado velhos e gordos, eles foram substituídos por jovens fiéis. Para muitos deles, Hitler não era apenas um líder político, mas uma figura paterna messiânica. O pessoal anexado a Hitler foi marcado pela mudança no nome de sua unidade de SS-Sonderkommando Berlin para o Leibstandarte SS, mais emocionalmente vinculativo a Adolf Hitler, a guarda pessoal do Führer. Estes eram homens que realizaram suas ordens da expurgação de junho de 1934 sem questionar ou hesitar, seja para os altos oficiais do exército ou heróis de longa data do partido. Em algum ponto da história, quando a Alemanha ressurgiu sob a liderança de Hitler, a ideia de que esses homens abandonariam o lado do Führer por um nome amplamente esquecido do passado simplesmente não era credível. O enredo de

Mylius-Ehrhardt, pode ser de fato, simplesmente, um pouco mais que reflexões de desejo murmuradas depois de uma longa noite de bebedeira. No entanto, Ehrhardt fugiu e Mylius, sabiamente, usou sua conexão com o marechal-de-campo Erich von Manstein para obter um posto administrativo útil no fornecimento e logística ao lado da Wehrmacht. Lá ele pôde demonstrar sua lealdade ao seu país e tirar a Gestapo das costas.

Uma mensagem de Mussolini

Dez assassinos. Dez homens-bombas. Todos ex-policiais da polícia prussiana. Cada um foi preso pelos nazistas e enviado para um campo de reeducação como uma punição por seu serviço consciencioso à República de Weimar. Dez homens com carreiras arruinadas, cheios de raiva e procurando vingança. Funcionários do acampamento precisariam ser subornados para acelerar a libertação desses prisioneiros na sociedade. Eles receberiam treinamento e uma nova identidade como mensageiros do exército e do serviço diplomático italiano. Como funcionários uniformizados de aliados mais próximos da Alemanha, eles seriam levados ao coração das redes nazistas sem levantar muitas suspeitas. Um dispositivo pequeno, mas altamente explosivo seria costurado em seus elegantes uniformes italianos, adornados com insígnias fascistas, e cada homem seria alvo, todos os membros do gabinete governante do Terceiro Reich, do monstro Hitler para baixo. Ao entregar suas cartas especiais de Roma de cada um de seus alvos individuais, eles detonariam os dispositivos e exterminariam o escalão sênior do Estado nazista. Puxando as cordas, esses dez bravos combatentes livres eram uma misteriosa tristeza dedicada à restauração da liberdade para a Alemanha.

Uma conspiração interessante para um filme, talvez, mas improvável de ser realizada bem no período em que a cidade estava se preparando para a guerra, o que era Berlim no final do verão de 1938. O astuto mestre das marionetes dizia ser Wilhelm Abegg, um funcionário do governo prussiano de grande habilidade e dedicação. Havia muitas razões pelas quais os nazistas não gostavam de Abegg. Ele não era apenas um intelectual, mas também um moderado de esquerda com uma esposa judia. Além disso, ele havia enraizado funcionários corruptos e preguiçosos no serviço da polícia prussiana num momento crítico da história alemã. No início da década de 1920, ele havia promovido altos oficiais da polícia comprometidos com a nova democracia de Weimar e o estado de direito. Ele também monitorou os nazistas e criou dossiês interessantes, especialmente sobre a confiança de Hitler em seus grandes doadores industriais.

CAPÍTULO 8

Sem surpresa, Abegg e sua família deixaram a Alemanha para a Suíça no início de 1933. Os nazistas sempre iriam jogar lama nele uma vez que ele fosse afastado do cargo e a trama do correio italiano pode ter sido invenção deles. Isso não só atacou Abegg como um traidor desonroso, mas foi feito para humilhá-lo aos olhos do público alemão. Quem mais além daqueles não confiáveis e chefes socialistas sobrenaturais poderiam ter inventado uma solução tão impraticável e proposta absurda? Infelizmente, Wilhelm Abegg nunca foi um assassino convincente. No entanto, Berlim estava cheia de rumores de que outras conspirações com uma melhor chance de sucesso estariam por vir.

Rumor ou humor?

O Sportpalast era um estádio indoor gigante para esportes de inverno em Schöneberg, distrito de Berlim, ao sul do Tiergarten. Quando foi inaugurado, em 1910, era uma maravilha arquitetônica. Era a maior arena coberta da Alemanha e a maior pista de gelo para patinação e hóquei no gelo do mundo. Além das competições internacionais de patinação, recebeu a notória e cansativa maratona de bicicleta de seis dias que paralisou o público esportivo de Weimar Berlim. E Max Schmeling, campeão mundial de boxe entre 1930 e 1932, subiu no ranking no Sportpalast no final da década de 1920. Atrás do pódio usado para discursos de todos os tipos de associações e partidos políticos, havia uma tela de cinema gigante. As galerias íngremes faziam com que todos da multidão de 14.000 pessoas pudessem ver e ouvir perfeitamente. Uma vez que os nazistas chegaram ao poder, os microfones e alto-falantes foram rapidamente atualizados para que todas as sílabas proferidas por Hitler e Goebbels passassem pelo auditório. Quando Hitler falou na arena, faixas gigantes soletraram o slogan do partido no mês: 'O marxismo deve ser destruído', 'Os judeus são nossa má sorte', 'Alemanha precisa de colônias', 'Guerra total é a guerra mais curta', 'O Führer comanda e nós seguimos'. Goebbels gostava particularmente da acústica no salão, que ajudava a criar uma atmosfera extática e frenética. Nos primeiros anos do Terceiro Reich, promotores inteligentes chegaram a lucrar com o breve entusiasmo em Berlim por todas coisas Teutônicas e colocaram à noite música oompah (estilo de música, sem tradução) da Baviera, com cerveja e bockwurst (tipo de salsicha, sem tradução) trazida para as mesas por donzelas arianas, adequadamente vestidas com dirndl.

Em algum ponto em 1937, um soldado alemão aparentemente desconhecido se encontrou trancado em um banheiro no Sportpalast. Naquela tarde ele plantou uma bomba sob a plataforma do alto-falante, mas antes de definir o cronômetro, ele precisava atender a outra questão mais urgente. A bomba poderia esperar, ele pensou: Hitler tinha uma reputação de orar longamente. Mas o soldado nunca voltou a tempo para ativar o dispositivo. Curiosamente, um soldado treinado com habilidades em detonar explosivos não foi capaz de dominar a fechadura de uma porta do banheiro emperrada. Hitler chegou ao pódio e o deixou incólume, duas horas depois. O destino do soldado preso permanece desconhecido, assim como todos os outros detalhes ausentes nesta improvável história.

A história parece ter circulado como boato em Berlim e em outras cidades onde, às vezes, ainda era possível fazer uma piada relacionada aos nazistas. O atual autor ouviu esse conto pela primeira vez na década de 1970, quando foi mencionado por um número de cidadãos alemães que foram enviados para a Grã-Bretanha após a guerra para ajudar no trabalho de reconstrução. Eles conheciam a história, mas a descartaram como uma das muitas piadas que, silenciosamente, faziam as voltas entre amigos de confiança, quando eles tinham certeza de que não havia bisbilhoteiros nazistas por perto. O ponto alto sugeria que o soldado preso, pelo menos, passou a noite com seu próprio excremento, enquanto a plateia no Sportpalast teve que ouvir os excrementos de Hitler.

O louco

Nos últimos meses de 1937, a Gestapo detectou indícios de várias conspirações que eram ameaças plausíveis ao Terceiro Reich. Alguns destes foram gerados por patriotas na Tchecoslováquia e na Suíça, outros por dissidentes exilados que tinham ido para Londres. Hitler já havia reabsorvido o Sarre, restaurado a presença militar alemã na Renânia e, descaradamente, ignorado as restrições ao rearmamento alemão estabelecidas em Versalhes. A conspiração pelos tchecos era de se esperar, porque Hitler estava obviamente planejando desmembrar seu país, que surgiu como resultado do odiado Acordo de Paz de 1919.

Agitação nazista entre o elemento de língua alemã no Sudeto fronteiriço estava suscitando uma demanda incontrolável de união com o Terceiro Reich. E murmúrios ocasionais de nazistas seniores sobre a necessidade de aumentar o interesse alemão na Suíça foram suficientes para dar arrepios aos patriotas suíços e incentivá-los a pensar em ação também. Londres estava começando a parecer um refúgio mais seguro que Paris para os muitos dissidentes que tinham escapado da Alemanha nazista. Agentes nazistas que operavam em Londres logo

CAPÍTULO 8

estariam ocupados em enviar relatórios de conspirações e planos de resistência, círculos de agentes dissidentes e remessas secretas de propaganda e armas. No entanto, pouca atividade dessa oposição secreta chegou a muito.

O homem que chegou mais perto de matar Hitler no final de 1937 foi provavelmente Josef Thomas, um trabalhador de Elberfeld, subúrbio da movimentada cidade industrial de Wuppertal, na Vestfália. Antes da ascensão dos nazistas, Wuppertal era um viveiro da militância sindical, com uma tradição de apoio aos partidos socialistas nas urnas e gosto por sentimentos comunistas mais fortes nos bares à noite. Quando Hitler estava no poder, muitos dos ativistas de esquerda de Wuppertal desfrutaram de períodos de 'custódia protetora' no campo de Kemna, no distrito de Barmen, no flanco oriental da cidade. Kemna foi um dos primeiros campos construídos pelos nazistas e iniciou suas atividades em 5 de julho de 1933. Não foi um campo de extermínio, mas um lugar onde os oponentes políticos poderiam ser concentrados e reeducados. O currículo de Kemna incluía interrogatório, tortura, humilhação, espancamentos contínuos, enquanto peixes podres sujos de vômito, excremento e óleo de motor estavam frequentemente no menu. Muitos prisioneiros morreram em Kemna e muitos outros ficaram mentalmente perturbados e com cicatrizes pelo resto de suas vidas.

Os nazistas aprenderam muito com essa primeira experiência de campo de concentração. Eles descobriram que seus métodos brutais funcionavam: o mais fervoroso comunista poderia ser transformado em um autômato flexível de maneira rápida e barata. Eles também constataram que Kemna estava muito perto de Wuppertal. Residentes reclamaram sobre os uivos dos prisioneiros torturados e o cheiro de latrinas que flutuava em frente ao acampamento e em seus jardins. Campos futuros precisariam ser localizado mais longe das áreas construídas.

Josef Thomas pode muito bem ter se formado em Kemna. Suas ações certamente pareciam ser as de um homem mentalmente perturbado, que se vingaria a todo custo. Ele tinha arma e munição para isso. Ele não escondeu o fato de que queria matar Hitler e Göring e que estava indo para Berlim para se livrar de ambos. Em 26 de novembro de 1937, ele entrou na Chancelaria do Reich, sem nenhuma tentativa de esconder sua arma. Ele conseguiu andar pelos corredores por um curto período, procurando seus alvos, até que foi detido pela Gestapo. As autoridades nazistas perderam pouco tempo lidando com ele. Eles julgaram que Thomas era um paciente mental e eles sabiam exatamente como lidar com esse tipo de doença. Josef Thomas, de Elberfeld, desapareceu rapidamente e nunca mais foi visto.

CAPÍTULO 9

Setembro de 1938
Conspirando pela Paz

O número de homens no esquadrão de choque era secreto e permanece desconhecido até hoje. Seria necessário ter entre 50 e 60 pontos fortes, a fim de ter certeza de cumprir sua missão com sucesso. Um suprimento de armas e munição já estava esperando o esquadrão em vários esconderijos e apartamentos, a maioria perto de edifícios importantes no bairro governamental do centro de Berlim. Esses esconderijos de armas foram fornecidos pelo arsenal de Abwehr, ou Inteligência Militar Alemã, e depois implantados discretamente durante o final do verão, com a intensificação da crise na Europa Central.

Os líderes conspiradores haviam elaborado seus planos cuidadosamente, verificando os detalhes andando e dirigindo pelo centro da cidade e examinando cuidadosamente as entradas e saídas dos edifícios que precisariam ser fechadas no dia. Altos funcionários da polícia, do exército e dos serviços de segurança que se pensava simpatizantes haviam sido identificados. A vontade deles de apoiar a trama, ou pelo menos abster-se de interferir nela, havia sido assegurada. Destacamentos da infantaria de Wehrmacht comandados por oficiais que poderiam ser confiáveis teriam várias funções-chave para executar. Berlim central seria colocada em quarentena e os principais ministros governamentais que lidavam com a defesa e assuntos de segurança seriam selados. As tropas assumiriam o controle de todas as estações de rádio e as comunicações em toda a cidade e os pontos de transporte seriam monitorados e fechados se necessário. Fundamentalmente, o pessoal hostil do SS em Berlim e arredores seria neutralizado.

Enquanto a cidade estava sendo fechada, os telefones nos esconderijos tocavam para ativar o esquadrão de choque. Esses homens auto selecionados realizariam o final sangrento do negócio. Eles eram uma mistura de oficiais idealistas do exército, pessoal de inteligência e nacionalistas alemães de várias denominações, todos unidos em seu desgosto por Hitler e sua gangue nazista. Seu alvo era a Chancelaria do Reich. Se necessário, eles abririam caminho e invadiriam os quartos que eram conhecidos por ser utilizados por Hitler. Alguns dos conspiradores acreditavam que uma vez capturado, Hitler seria levado a julgamento ou, simplesmente, trancado em um asilo lunático. Outros membros do esquadrão de choque receberam ordens secretas para matá-lo no local.

Ao contrário de muitas das tentativas anteriores de assassinar Hitler, esse não era o sonho esperançoso de um solitário desesperado ou uma cabala pequena, mas mal equipada, com pouca chance de chegar perto o suficiente para atacar o homem que eles desprezavam. Em vez disso, era uma operação com bons recursos que havia sido cuidadosa e minuciosamente planejada por homens com formação militar e de inteligência. Conhecimento do enredo, e o apoio tácito a ele, alcançariam os níveis mais altos das instituições alemãs. Não foi uma simples tentativa de assassinato, mas um golpe de Estado projetado para desestabilizar e derrubar todo o regime nazista. Prender e erradicar Hitler era uma parte necessária do exercício, mas não um fim em si mesmo. Os conspiradores foram motivados pelo objetivo muito maior de salvar a Alemanha de tropeçar, mais uma vez, em uma situação catastrófica e invencível indo a uma Guerra europeia em duas frentes.

O problema de Sudetenland

Em 12 de março de 1938, Hitler entrou em sua terra natal como líder. Por 20 anos, ele sonhava em incorporar a Áustria dentro de uma Grande Alemanha. A procissão da carreata de sua casa na infância de Linz até o coração de Viena, onde ele ficou no Hotel Imperial, foi recebida por enormes multidões em êxtase. Agora sua mente voltava-se para seu próximo alvo territorial. Esta era a terra que tinha sido parte da Boêmia e Morávia nos dias do Império Austríaco e agora formava a borda da Tchecoslováquia ocidental. Hitler detestava a Tchecoslováquia. Esse era um Estado de raça mista criado pelo odiado Acordo de Paz de Paris, em 1919. Os alemães étnicos dentro de suas fronteiras, cerca de 23% da população, estavam sujeitos a ser governados pela maioria eslava.

A ideia de alemães serem governados por Untermenschen enojava Hitler. Alguns teóricos raciais do Nacional-Socialistas estabeleceram uma distinção entre os tchecos e os eslavos inferiores mais a leste. Eles argumentaram que os tchecos haviam sido expostos à cultura alemã por muitos séculos e foram melhorados por esse contato. Como resultado, eles foram capazes de serem arianizados até certo ponto e poderiam ser úteis na organização e gerenciamento das formas inferiores de escravos no vasto Império Alemão que logo se estenderia aos Urais. Hitler não estava convencido. Sua energia estava agora direcionada para a escravização e destruição de seus vizinhos abomináveis. Duas semanas após seu triunfo vienense, Hitler conheceu Konrad Henlein, o líder separatista do partido alemão Sudeten e seu fantoche na Tchecoslováquia. Ele encorajou Henlein a continuar agitando por maior autonomia para o Sudetenland e garantiu-lhe seu apoio pessoal. Em meados de setembro, a curiosa campanha de agitação de Henlein e provocação transbordaria em uma guerra civil não declarada entre partidários nazistas da Sudeten e autoridades tchecas.

Uma temporada de intimidação

Durante os meses de verão de 1938, Hitler fez um grande show mostrando suas intenções maliciosas em relação à Tchecoslováquia, fazendo inúmeras referências de seu descontentamento com a situação de Sudeten em discursos públicos na Alemanha. Suas discussões com diplomatas poloneses e húngaros sobre os benefícios mútuos de desmembrar a Tchecoslováquia dificilmente eram secretos. No final de maio, exercícios de larga escala da Wehrmacht, perto da fronteira com a República Tcheca provocaram um pânico civil em Praga e, ao longo de agosto, Hitler estava visivelmente planejando a guerra eminente. Ele foi fotografado muito interessado em manobras militares em Grafenwöhr, na fronteira tcheca e não se falava sobre nada mais do que uma reunião que durou três horas com seus comandantes seniores em 10 de agosto. Cinco dias depois, ele e seus generais se reuniram na enorme base da Wehrmacht, em Jüterbog, ao sul de Berlim, para assistir a um bombardeio de artilharia demolindo uma réplica maciça de uma extensão das fortificações tchecas.

No caso de diplomatas e correspondentes estrangeiros não entenderem a importância desse evento, o elaborado exercício foi repetido dois dias depois no campo de treinamento do exército em Döberitz, nos arredores de Berlim. Em 18 de agosto, o chefe de estado-maior da Força Aérea Francesa, o general Vuillemin, recebeu uma saudação aérea da Luftwaffe. O voo rasante foi cuidadosamente orquestrado e habilmente prolongado para convencer Vuillemin de que a Alemanha havia alcançado superioridade no ar. Seu relatório sombrio do evento causou profundo desespero em círculos do governo francês. O líder húngaro, Almirante Horthy, teve tratamento cinco estrelas em sua visita a Berlim. Hitler esperava que as imagens de solidariedade alemão-húngara desmoralizariam ainda mais os tchecos, que já temiam um ataque

CAPÍTULO 9

O cinegrafista acima do carro principal filmando a marcha das Mercedes no Rathausplatz, Viena, em abril de 1938. Hitler garantiu que seu sucesso na anexação da Áustria não passasse despercebido pelo resto do mundo.

duplo em caso de confronto militar - no entanto, Horthy respondeu com bastante cautela aos planos e ofertas de Hitler.

O Westwall

Em junho de 1938, a Alemanha começou a atualizar suas defesas ao longo de suas fronteiras ocidentais com a Holanda, Bélgica e França. E, em 12 de setembro, Hitler fez um discurso ao exército, enfatizando as extensas melhorias que já haviam sido feitas a Westwall, as fortificações que mais tarde seriam apelidadas de a linha Siegfried, pelas tropas britânicas. Seu público real, no entanto, estava em Paris e Londres. A Operação Verde, seu plano de invadir a Tchecoslováquia, sempre dependia da indecisão francesa e britânica. Hitler sabia que era vital isolar os tchecos desanimando seus aliados ocidentais hesitantes. E, em qualquer caso, um Westwall mais forte seria necessário se franceses e britânicos chegassem ao resgate dos tchecos. Hitler duvidava que sim, mas era uma importante exibição de determinação alemã. No dia seguinte, ele disse ao mundo que os Sudeten alemães, vítimas da persistente opressão eslava, 'não eram amigáveis e não seriam abandonados'.

Crescente inquietação

Como Hitler, Friedrich Wilhelm Heinz era um soldado patriótico que foi ferido nos últimos meses da Grande Guerra e depois passou seu tempo se recuperando no hospital e enfurecido contra o esgotamento do armistício. Heinz ficou gravemente ferido mais uma vez, em 1919, lutando como voluntário na luta para impedir que a cidade alemã de Posen se tornasse a polonesa Poznan. E, novamente como Hitler, ele conseguiu estar envolvido na organização educacional do exército em 1919, onde conheceu muitos camaradas com a mesma opinião e amarguras, incluindo Hermann Ehrhardt e o oficial naval Wilhelm Canaris. Depois de um período no Freikorps de Ehrhardt, Heinz se juntou à terrorista Organização Cônsul e colaborou no assassinato de vários políticos de Weimar, incluindo o ministro das Relações Exteriores Walther Rathenau. Apesar de ser um membro da Liga Viking, ele ajudou os nazistas a construir a presença da SA na região de Hesse. Não totalmente convencido por Hitler, Heinz juntou-se à Der Stahlhelm ou Capacetes de Aço, uma organização de ex-soldados contra Weimar que foi o maior grupo paramilitar da Alemanha durante a década de 1920.

Quando Heinz entrou brevemente no NSDAP, em 1929, ele gravitou naturalmente com seus homens de ação, como os irmãos Strasser, em vez de Hitler, que era publicamente, pelo menos, comprometido na época a buscar o poder através das urnas. As impacientes aspirações revolucionárias de Heinz levaram à sua rápida expulsão do partido nazista. Quando ele tentou se inscrever novamente em 1933, foi rejeitado. Com raiva de Hitler, ele se aposentou da política em 1936 e retornou às fileiras do exército, agora reorganizado como a Wehrmacht. Lá ele encontrou e foi acolhido por seu velho amigo Canaris, uma estrela em ascensão no departamento de inteligência militar de Abwehr, no Ministério da Guerra. Um rebelde natural e descontente, no verão de 1938, Heinz trabalhou duro para ajudar a planejar um ataque que impediria o coração do governo nazista de invadir a Chancelaria do Reich. A honra de liderar o esquadrão de choque que encontraria e liquidaria Hitler deveria ser dele.

Hans Oster era um soldado de carreira que entrou no exército imperial em 1907, destacou-se na frente ocidental e terminou a guerra contra o general Staff. Oster era um dos jovens brilhantes que continuaram depois de 1919, quando a maioria dos oficiais do exército foi aposentada para satisfazer as restrições de Versalhes sobre o futuro tamanho das forças armadas alemãs. No final de 1933, ele estava trabalhando em Abwehr onde, como Wilhelm Heinz, entrou em contato com Canaris. Como patriota conservador, Oster havia inicialmente aceitado a chegada de Hitler ao poder, mas como cristão ele assistiu à consolidação da ditadura de Hitler com precaução. A influência tradicional e o prestígio do exército foram gradualmente sendo ofuscados pelos fanáticos e sectários do SS. Ele estava cada vez mais chocado com a ilegalidade e a amoralidade das políticas e ações dos governos nazistas. Os alvos do SS no expurgo de 1934 incluíram vários oficiais do exército e de Abwehr, os quais foram assassinados a sangue frio, sem julgamento, por simplesmente terem falhado em seguir a linha do partido. Oster testemunhou a crescente perseguição a judeus nas ruas do Terceiro Reich e, como muitos outros cristãos alemães, o frenesi louco da Kristallnacht foi um momento decisivo em sua vida. Ele seria demitido da Abwehr em 1943, quando a Gestapo descobriu que ele havia abrigado judeus.

Como muitos oficiais honoráveis do exército, Oster também ficou irritado e indignado com a humilhação pública de dois comandantes seniores e muito estimados do exército em 1938. O general Werner von Blomberg caiu de graça quando foi alegado que sua nova esposa era uma prostituta condenada e fornecedora de pornografia, mas Blomberg a apoiou e recusou o conselho de Hitler para que anulasse o casamento. O escândalo foi usado por Hitler e Göring para planejar a renúncia de Blomberg. Falsas acusações de comportamento homossexual foram, então, apresentadas contra o General von Fritsch. Segundo uma "testemunha confiável" chamada Schmidt, Fritsch foi visto participando de um ato sexual em um

SETEMBRO DE 1938: CONSPIRANDO PELA PAZ

Como tantos oficiais alemães, Hans Oster inicialmente acolheu o regime nazista, mas seus pensamentos mudaram em 1934, após a Noite das Facas Longas e outras atrocidades perpetradas por Hitler e seus seguidores.

banheiro público com um conhecido prostituto masculino, que se chamava Joe da Baviera. As acusações foram ultrajantes, mas Goebbels, no entanto, garantiu que os detalhes obscenos fossem dados à cobertura completa na imprensa. Fritsch acabou sendo absolvido, mas ele havia sido profundamente humilhado e nunca recuperou os altos comandos seniores. Vários colegas de alto escalão que apoiaram Fritsch em todo o emaranhado, demonstraram sua raiva renunciando e ficando na posição do exército, que na imaginação do público foi diminuída. Como havia sido planejado desde o início, Hitler usou esses escândalos para enfraquecer o Alto Comando do Exército. Homens mais flexíveis foram promovidos a um novo Comando Supremo das Forças Armadas, ou OKW. O "confiável" Schmidt, um chantagista profissional de homens homossexuais, foi convenientemente encontrado morto logo depois, em circunstâncias obscuras.

Ao longo da década de 1930, muitos alemães individuais em posições de autoridade sentiram uma profunda e crescente inquietação em relação à direção do Terceiro Reich, mas até 1938, a maioria deles mantinha seus pensamentos privados. Hitler não era apenas poderoso, mas popular. Ele havia corrigido alguns dos erros de Versalhes e havia restaurado o orgulho nacional alemão. Como patriotas conservadores, os que duvidavam e os críticos de Hitler estavam preparados para empurrar suas preocupações para o lado do bem nacional. A crise tcheca no verão de 1938 mudou tudo. Hitler agora estava assumindo um imenso risco diplomático de um grau diferente. Enquanto ele caminhava para o confronto, uma rede muito fraca de homens informados em posições de autoridade começou a se unir. A tensão daqueles meses criou uma atmosfera de especulações em que era mais fácil expressar medos e preocupações para os outros e identificar colegas de espírito.

Conspiração para parar o cabo austríaco

Uma conspiração se materializou. Havia muitos escritórios em Berlim que sabiam algo sobre isso. Alguns tiveram um papel ativo e outros, tão importantes quanto, recuaram e disseram que não haviam feito nada. Para muitos desses homens, a crise na conspiração tcheca foi a primeira experiência de resistência a Hitler. A maioria deles veio a tomar uma decisão de se opor a Hitler e ao regime nazista pelo mesmo caminho que Heinz e Oster. Eles compartilhavam um profundo sentimento de repugnância pela ilegalidade das muitas ações do regime e ficaram chocados com a desumanidade fundamental de sua visão de mundo. Aqueles na 'rede de contatos' que eram militares também estavam alarmados com as ambições territoriais de Hitler, que quase certamente levariam a Alemanha a uma guerra, primeiro com as

SETEMBRO DE 1938: CONSPIRANDO PELA PAZ

Oficiais alemães da velha escola, como (à esquerda) o general Werner von Fritsch, o general Werner von Blomberg e o almirante Raeder frequentemente se tornaram presas dos nazistas.

democracias ocidentais e depois com as potências eslavas no Oriente. Eram homens que há muito ponderavam e analisavam as razões estratégicas para o fracasso de 1918. Eles estavam convencidos de que, apesar de tradições militares destacadas e sua atual superioridade industrial de curto prazo, a Alemanha não conseguiria vencer uma longa guerra travada em duas frentes. A Wehrmacht poderia realizar heroísmos poderosos em campo, mas o bloqueio dos mares da Marinha Real, combinado com potenciais números de soviéticos em terra e no ar, sempre daria aos inimigos da Alemanha a vantagem em um conflito mais longo. O general Beck disse muito sobre isso para Hitler antes de renunciar ao Estado Maior, em agosto de 1938. Beck e os generais Halder e Witzleben sabiam sobre a conspiração em Berlim e apoiaram-na em vários graus.

O advogado aristocrático Ewald von Kleist-Schmenzin fez pouco esforço para disfarçar sua aversão a Hitler e se recusou a fazer a suástica no castelo dele. Não ocupou nenhum cargo no Terceiro Reich, mas à medida que a crise tcheca se aprofundava ele estava bem posicionado para viajar para a Grã-Bretanha como cidadão particular. Em Londres, ele tentou alertar os britânicos sobre a extensão da oposição a Hitler que existia em Berlim e instou seus influentes amigos britânicos a convencer Chamberlain a ficar ao lado dos tchecos a todo custo, e dizia ser um blefe de Hitler. Hjalmar Schacht, economista de Hitler, fez os mesmos apontamentos para seus muitos contatos em Londres, Paris e Amsterdã. Muitos desses homens queriam que Hitler fosse levado a julgamento para responder pelos crimes cometidos por seu governo desde 1933, mas colocar Hitler no banco dos réus não tinha funcionado bem em 1923. Oster preferia que Hitler fosse declarado insano. O jurista Hans von Dohnányi concordou e fez sua contribuição para a conspiração convidando seu sogro, o psiquiatra Professor Karl Bonhöffer, a sugerir colegas eminentes que poderiam formar um painel adequado para despachar Hitler para sua cela acolchoada.

Atrás de todos esses homens estava Canaris. Sua carreira começou aos 17 anos, no Marinha Imperial Alemã e, na Primeira Guerra Mundial, ele serviu com a malfadada frota de águas azuis no Pacífico e no Atlântico Sul. Ele foi um dos poucos tripulantes a voltar à Pátria. Mais tarde, em sua carreira, ele serviu como comandante de submarinos no Mediterrâneo. Um homem excepcionalmente capaz, falava bem seis idiomas, era muito rico e bem conectado. Na Alemanha do pós-guerra, ele compartilhou muitas opiniões com o cabo austríaco, acreditando que os judeus e os comunistas precisavam ser erradicados. Isso seria difícil, mas se a gangue de Hitler tivesse que cometer uma brutalidade para fazer a limpeza, que assim fosse. Canaris também odiava o Tratado de Versalhes e reconheceu Hitler como um homem que reconstruiria a frota alemã que havia sido afundada em águas frias de Scapa Flow, em 1919. Canaris tornou-se chefe do Abwehr em 1935 e, quando se encontrou com Hitler, os dois homens desfrutaram de suas discussões e encontro de mentes. Eles tinham muito em comum naquele momento: Canaris pode ter dado a Hitler a ideia de forçar os judeus a usar o distintivo com uma estrela de Davi para melhor identificar o inimigo interno.

Três anos depois, o mestre espião militar da Alemanha definitivamente começara a moderar suas afeições pelo Führer e por suas obras. Como muitos conservadores, na visão de Canaris, Hitler era apenas um meio necessário, mas temporário para um fim. Os primeiros triunfos diplomáticos de Hitler - retornando o Sarre ao Reich e colocando soldados de volta na Renânia - eram efetivamente assuntos domésticos populares na Alemanha e facilmente explicados aos franceses e britânicos como uma reação compreensível ao severo Tratado de 1919. A anexação da Áustria, em março de 1938, foi uma limpeza similar do mapa e, afinal, os austríacos não haviam endossado a união com a Alemanha em números massivos quando votaram no plebiscito? Mas confrontar os mal-humorados e bem defensivos tchecos, que tinham os impérios francês e britânico ao seu lado, era uma proposta muito mais arriscada. Como outros teóricos militares de sua época deduziram, parecia que o aventureiro austríaco levara a Alemanha longe o suficiente, mas agora não tinha mais utilidade.

Pronto para a guerra

Hitler certamente estava assumindo um grande risco ao entrar em guerra com os tchecos. Eles leram Mein Kampf, eles ouviram as declarações de Hitler sobre o tema Lebensraum e seus planos de subjugar os povos menores da Europa Oriental e estavam preparados para uma sangrenta guerra étnica até a morte. Eles sabiam que não teriam escolha e, com certeza, não confiariam que franceses e britânicos viriam em seu auxílio, mas eles poderiam, pelo menos, escolher o campo de batalha. Muito da fronteira disputada era fortemente arborizada, acidentada e em lugares montanhosos, então, isso poderia ser feito para favorecer o defensor. Durante a década de 1930, os tchecos construíram mais de 260 grandes e pesadas palafitas à prova de explosão para suas tropas em postos-chaves da fronteira e mais de 10.000 casamatas de concreto, para que máquinas pesadas fossem posicionados em pontes, cruzamentos e ao longo da ferrovia. O exército que administrava essas defesas era muito bem treinado e as tropas sabiam que estariam lutando pela própria existência de seu povo. E

CAPÍTULO 9

O almirante Canaris era o chefe da contraespionagem alemã, o que lhe dava uma visão dos planos do regime nazista e daqueles que conspiravam contra ele.

era um exército bem abastecido e bem equipado, graças ao enorme e inovador trabalho de Škoda em Plzen̆, no oeste da Boêmia.

Na primeira metade do século 20, Škoda era uma das maiores armas fabricadas no mundo. Era também uma das melhores. No final da década de 1930, os analistas militares alemães que examinaram os produtos Škoda ficaram impressionados por sua qualidade e eficiência, mas se mostraram consternados quando examinaram o novo tanque de batalha LT35 da Škoda. Era a melhor arma do gênero em qualquer lugar no mundo naquele momento. Entre 1939 e 1942, desfilou pelas cidades conquistadas da Polônia e da França e causou estragos em grande parte do oeste da Rússia. Até então, exibia as insígnias da Wehrmacht e era conhecido como o Panzer 35t. Com sólidas fortificações, excelente armamento e um povo lutando por sua própria existência, a Tchecoslováquia era um inimigo muito mais forte do que os propagandistas nazistas gostavam de sugerir. Até Hitler estava começando a repensar sua estratégia à medida que o início da guerra parecia cada vez mais próximo.

Um fim de semana em Praga?

Hitler se gabava de estar em Praga dois ou três dias após o início da guerra, mas agora estava admitindo, em particular, que derrotar os tchecos era uma proposta muito difícil. A campanha poderia muito bem se arrastar, dada a força indubitável de suas posições fortificadas. Nos primeiros dias de setembro, ele estava trabalhando dia e noite com seus oficiais seniores, espiando os planos e mapas para a Operação Verde, e procurando um caminho para uma vitória rápida. Os mais íntimos não o viam tão nervoso desde que ele desafiou a Liga das Nações e enviou tropas para a Renânia, em 1935. Tudo isso foi como previsto ou esperado pelos conspiradores em Berlim. Resistência e montagem duras da República Tcheca, as baixas alemãs lançariam uma nova luz crítica sobre as habilidades do Führer como um comandante e seus pés de barro seriam expostos. No entanto, nas cidades e aldeias em todo o Sudetenland, Konrad Henlein e seus 'civis' paramilitares estavam prontos e esperando o sinal para disparar alguma atrocidade sangrenta que desencadearia outra guerra europeia. E em suas casas seguras em Berlim, Wilhelm Heinz e sua equipe de choque também já estavam em posição, em alerta e aguardando uma ligação.

Intervenção britânica

Entra Neville Chamberlain. Em 14 de setembro, a Embaixada Britânica em Berlim entregou a Herr Hitler uma nota indicando que o primeiro ministro britânico estava disposto a voar para a Alemanha para tentar encontrar uma solução pacífica para a crise tcheca. A atenção do mundo foi desviada das tensões armadas ao longo da fronteira da República Tcheca para o drama diplomático que seria jogado ao longo dos próximos 16 dias em Berchtesgaden, Bad Godesberg e, finalmente, nas quatro potências da Conferência de Munique.

Henlein e seus homens receberam ordens de Berlim para serem pacientes, mas os tchecos rapidamente reforçaram suas forças em posições de frente e limparam, facilmente, as pequenas tentativas de fomentar um levante pró-alemão. Tendo perdido a iniciativa, Henlein e seus principais apoiadores fugiram da fronteira alemã, mas em 30 de setembro, Chamberlain e os franceses concordaram com um documento que ordenou efetivamente aos tchecos evacuar o Sudetenland. A retirada de suas forças deveria começar no dia seguinte. Através de sua arrogância, Hitler ganhou tudo o que queria sem arriscar uma única vida alemã.

O preço do apaziguamento

Com as defesas de Sudetenland perdidas, o destino dos tchecos foi selado. Hitler poderia desmembrar o resto da Tchecoslováquia sempre que fosse conveniente. Ao longo do Terceiro Reich, houve uma onda inegável de afeto para o grande líder. Hitler nunca foi tão popular com seu povo e ele nunca pareceu tão invencível. Os conspiradores de Berlim precisavam pegar o público alemão com um humor pessimista e pensativo, mas como resultado do trabalho de intervenção dramática de Chamberlain, Hitler era intocável. Matá-lo agora seria apenas criar uma segunda lenda da "Facada nas Costas" ainda maior que a primeira edição de 1918. O esquadrão de choque esfriou e seus braços foram transportados secretamente de volta para as lojas Abwehr. Em 2 de outubro, Hitler e Goebbels se reuniram para discutir as futuras táticas e estabeleceram um prazo para lidar com os remanescentes da República Tchecoslovaca. No dia seguinte, o novo governante da Sudetenland visitou sua última posse enquanto suas legiões marchavam à frente para montar a nova administração alemã. Ele parou na cidade fronteiriça de Eger e deu um discurso em sua bonita praça principal. Pela primeira vez, Hitler usou a expressão Grossdeutsches Reich ou Grande Império Alemão. Em 6 de outubro, Hitler e Goebbels foram passear no bosque de Sudeten, parando para olhar com interesse a impressionante linha de fortificações tchecas. Hitler murmurou: 'Teríamos perdido muito sangue aqui, você sabe...'

CAPÍTULO 10

Novembro de 1938
O Assassino Cristão

Em 1938, muitos aspectos da vida pública na Alemanha haviam sido nazificados. Os pontos altos tradicionais do calendário anual, marcando as estações e os festivais cristãos, tinham sido aumentados por novas celebrações da Nacional-Socialista inspiradas em eventos importantes na vida do Führer e na história do Partido: aniversário em 20 de abril, posse do poder em 30 de janeiro, a Festa do Partido de Nuremberg no equinócio de outono e comemoração da Munich Putsch nos dias 8 e 9 de novembro. A participação do Führer nessas e outras ocasiões significativas era inevitável e as coreografias altamente ritualísticas da natureza dessas grandes reuniões nazistas significava que os movimentos de Hitler nesses dias específicos, mais os horários de sua chegada e partida, poderiam quase ser previstos. Esses eram os dias do ano em que a segurança do Reich e as organizações tinham que estar mais alertas.

Segurança totalitária

Em 1938, eles se tornaram experientes na proteção de seu líder nos muitos diferentes tipos de aparição pública que ele era obrigado a fazer no curso de seus deveres. Cinco anos de repressão nazista em toda a sociedade alemã tinham, de fato, eliminado muitas das fontes de perigo potencial dos oposicionistas. Milhares de possíveis encrenqueiros com simpatia antinazista haviam encontrado seu caminho para os campos de reeducação, ou pior. O aparato de segurança do Estado também estabeleceu sistemas de coleta de informações que ampliaram todo o caminho até os Blockleiters locais. Estes eram os vigilantes guardas do

CAPÍTULO 10

partido ou "Bisbilhoteiros" encontrados em todos os prédios residenciais ou bairros que monitoravam atividades e atitudes de seus vizinhos, registrando detalhes daqueles que mostravam entusiasmo insuficiente pela vida na Nova Alemanha. Em 1938, os homens encarregados da segurança de Hitler poderiam se assegurar de que o Grande Líder estava bastante seguro de ataques públicos por um assassino alemão nativo. Foi, no entanto, impossível para eles planejar contra o tipo de assassino que perseguia o Führer nos últimos meses daquele ano; um assassino estrangeiro desconhecido, sem formação política, que viajou para a Alemanha apenas porque acreditava que era seu dever divino matar o anticristo austríaco.

O guerreiro suíço

Maurice Bavaud era um cidadão suíço de língua francesa, nascido em 1916, em uma grande família católica na cidade ocidental de Neuchâtel. A família era piedosa, convencional e pertencente à pequena burguesia: o pai de Maurice trabalhava para os serviços postais suíços enquanto sua mãe dirigia uma pequena mercearia. Aqueles que se lembravam do jovem Bavaud descreviam-no com uma atitude calma, agradável e educada juventude. Sua educação era excepcional e quando deixou a escola, em 1932, ele, inicialmente, planejava preparar-se para trabalhar como desenhista. Mas como muitos jovens confusos chegando à maturidade após a Grande Depressão, ele estava ciente da turbulência política e econômica em toda a Europa. Ele leu panfletos socialistas e comunistas e brincou com a ideia de ingressar no partido fascista suíço, a Frente Nacional. Em 1934, no entanto, possivelmente como resultado de sua educação cristã e a direção de seu pai devoto, estava pensando em atuar como católico missionário das colônias francesas na África. Ele se matriculou na primavera seguinte em um seminário em Saint-Brieuc, na costa norte da Bretanha. Lá, era conhecido por ser atencioso e gostar de ler filosofia. Ele recitava canções suíças e poemas para seus colegas e contribuiu para o canto gregoriano na capela. Em Saint-Brieuc, ele também conheceu um colega seminarista incomum, mas convincente, Marcel Gerbohay, que vinha de uma vila perto de Rennes.

Resistência mística

Gerbohay exerceu uma poderosa influência política sobre Maurice e o convidou a se juntar a uma pequena sociedade secreta chamada La Compagnie du Mystère, que era dedicada à destruição do comunismo e à restauração da dinastia

NOVEMBRO DE 1938: O ASSASSINO CRISTÃO

Maurice Bavaud era um plácido estudante de teologia suíça que chegou a acreditar que era seu dever cristão assassinar Hitler.

Romanov ao trono da Rússia. Gerbohay confidenciou a Bavaud que ele era um membro sobrevivente da família Romanov e o confiante estudante parece ter acreditado nele. Através de Gerbohay, Bavaud foi introduzido às ideias das várias organizações ultracatólicas místicas em toda a Europa que juravam combater as novas ideologias seculares do comunismo e nacional socialismo. Foi graças a essas discussões políticas com esse amigo estranho que o plácido estudante de teologia suíça decidiu que era seu dever cristão assassinar Adolf Hitler.

No verão de 1938, Bavaud passou a acreditar que o líder alemão tinha abandonado sua retórica antibolchevique anterior e planejava um futuro de coexistência entre a Alemanha nazista e a União Soviética. Muitos católicos na Alemanha e em toda a Europa tornaram-se cada vez mais apreensivos sobre o tom ateísta que sustentava grande parte da ideologia e cultura nazistas. Cinco anos depois do Reich, havia ocorrências suficientes de líderes entusiastas nazistas que procuravam humilhar aqueles que sustentavam os valores e crenças cristãos tradicionais. O crescente uso do simbolismo neopagão nos rituais e propagandas nazistas ofereceu mais uma prova de que Hitler era uma ameaça à existência contínua da Igreja Católica Romana na Alemanha. Além disso, Hitler estava claramente estabelecido absorvendo todos os territórios de língua alemã na Europa central dentro de seu Reich dos Mil Anos, uma política que ameaçava a unidade e a própria existência da pátria suíça de Bavaud. Em junho, ele deixou o seminário para sempre, retornando à sua casa para passar o verão, melhorando seus conhecimentos de alemão e planejando uma maneira de destruir o homem que ele agora acreditava ser uma ameaça para toda a humanidade e um agente de Satanás.

Um parente útil

Na manhã de 9 de outubro de 1938, Maurice deixou uma nota de despedida para a família e pegou o trem para a encantadora cidade termal de Baden-Baden, na Floresta Negra. Mais tarde, naquele dia, ele se apresentou aos seus desconcertados e muito distantes parentes que moravam lá. Eles se chamavam Gutterer e estavam relacionados a Maurice através de uma irmã de sua avó. É provável que eles nunca antes tivessem visto aquele quieto rapaz suíço com um alemão imperfeito que estava agora em sua porta, mas Bavaud tinha um bom motivo para fazer da casa dos Gutterer sua primeira parada em direção ao Reich de Hitler. O membro sênior da família, Leopold, já tinha se saído bem sob o regime nazista e estava destinado a ainda mais coisas. Leopold ingressou no NSDAP em 1925, quando as fortunas do Partido estavam em um nível baixo.

Hitler tinha passado a maior parte do ano anterior na prisão de Landsberg e, em sua ausência, o Partido tinha paralisado, perdendo mais da metade de seus assentos no Reichstag nas eleições de dezembro de 1924. Isso ocorreu em parte porque a tensão econômica e a situação política na Alemanha estavam melhorando graças aos empréstimos americanos e a um melhor espírito de cooperação internacional entre as instituições democráticas do governo em Weimar e ex-inimigos da Alemanha. A amargura dos anos imediatos do pós-guerra estavam se evaporando, assim como as esperanças dos extremos partidos populistas à esquerda e à direita. Ao ingressar no Partido quando ele o fez, Leopold Gutterer, portanto, deu prova de que era um verdadeiro crente, e não um nas multidões de companheiros que só descobririam suas convicções no Nacional-Socialista em um momento posterior, mais conveniente.

Os frutos da lealdade

Jornalista, editor eficaz e trabalhador, em 1930 Leopold era um importante publicista e editor nazista. Depois de 1933, ele foi bem recompensado por lealdade e esforços, tornando-se rapidamente um alto funcionário de Joseph Goebbels no Ministério da Informação Pública e Propaganda, onde foi responsável por organizar as principais exibições públicas da pompa nazista, como o principal comício do partido em Berlim e Nuremberg. Como secretário de Estado, em 1941, ele introduziu a legislação que forçava os judeus alemães a usarem o *Judenstern* amarelo, como seus co-religiosos poloneses faziam desde 1939. Seriamente considerado nos mais altos escalões do partido, ele foi convidado para a conferência secreta de Wannsee em janeiro de 1942, convocado por Reinhard Heydrich para coordenar a implementação eficiente da solução final para a questão judaica.

Já em 1938, Maurice Bavaud sabia que seu distante parente já tivera contato pessoal frequente com Goebbels e outros importantes funcionários do partido. Era até possível que em algum momento Leopold estivesse próximo do próprio Führer. Essa era a ideia que atraíra Bavaud para Baden-Baden. Parecendo ser um Nacional-Socialista fervoroso, ele esperava agradar Leopold e talvez desfrutar de um certo grau de patrocínio útil. Ele poderia, então, criar uma oportunidade de se aproximar de seu objetivo final.

Seu mentor e patrono em potencial não era tolo, no entanto, e viu o aparecimento repentino desse parente pouco conhecido com suspeita. Ele deixou claro para Maurice que não esperasse apoio dele, nem mesmo uma carta útil de introdução e elogios. De fato, Leopold pareceu tão cauteloso com seu jovem visitante suíço que alertou a Gestapo de sua presença na área. Sem a promessa de ajuda de seus parentes Gutterer, com fundos limitados e pouca perspectiva de encontrar trabalho, dado o seu limitado alemão, Maurice decidiu se aproximar do anticristo o mais rápido possível e por conta própria. Ele partiu em uma jornada desesperada que em três semanas o levaria por toda a Alemanha até as três principais bases de Hitler: Berlim, Munique e o Berghof. Em uma dessas, ele esperava dar um tiro em seu grande inimigo.

Uma visão para a matança

Em 21 de outubro, Bavaud chegou a Berlim, cobrindo seus rastros, dizendo aos Gutterers que ele estava dirigindo para a movimentada cidade industrial de Mannheim, 113 km (70 milhas) de distância, para procurar trabalho. Ele estava agora armado com um Schmeisser 6,35 mm (0,25 pol.), que era poderoso o suficiente para matar de perto e poderia ser facilmente escondido no bolso do casaco. Tudo o que faltava era seu alvo, Hitler não estava na capital, mas em seu complexo alpino, o Berghof, perto de Obersalzberg, na Baviera mais profunda. Quatro dias depois, Bavaud desceu do trem em Berchtesgaden, no vale abaixo do retiro de Hitler nas montanhas, apenas para descobrir que sua presa o tinha iludido novamente: o Führer havia se mudado para Munique.

Desta vez, ao invés de perseguir a raposa, Bavaud passou vários dias andando sozinho nas colinas ao redor de Obersalzberg, examinando as medidas da terra, monitorando os arranjos de segurança no Berghof e aprendendo a usar sua arma atirando em árvores nas florestas. Em Berchtesgaden, ele conversou com Karl Deckert, um capitão da polícia local que tinha alguma compreensão dos arranjos de segurança do Führer. Deckert supôs que o desejo de Bavaud de conhecer Hitler pessoalmente resultava da adulação usual que Hitler havia inspirado em tantos jovens ardentes em toda a Europa entre guerras. Ele aconselhou Maurice que as chances de encontrar Hitler sem uma carta de recomendação de uma embaixada estrangeira ou uma figura política sênior eram nulas. No entanto, se ele simplesmente desejava ver o Führer, Deckert sugeriu que Maurice assistisse ao desfile por Munique em 9 de novembro, quando Hitler e seus companheiros mais próximos marchariam pela cidade para homenagear seus camaradas que haviam caído no golpe desastroso em 1923.

Caçando Hitler

Bavaud aceitou a sugestão do capitão e encontrou um quarto em Munique em 31 de outubro, onde passou a semana seguinte planejando seu curso de ação. Ele percorreu repetidamente a rota da procissão, pensando em possíveis pontos de vantagens que o levariam a menos de 7,6 m (25 pés) de Hitler, o efetivo alcance de sua arma. No começo, ele planejava, simplesmente, fugir da multidão em direção a Hitler e matá-lo na rua, mas ele, rapidamente, descartou essa ideia, provavelmente quando viu a SA e a Juventude Hitlerista ensaiando para o grande evento. Duas fileiras de camisas marrons estariam alinhadas em toda a rota, que começava no Bürgerbräukeller, na margem oriental do rio Isar, e depois passava através da cidade velha medieval até a imponente Königsplatz, onde os 16 homens que morreram no golpe foram enterrados em dois vastos templos de honra. Felizmente, Bavaud conseguiu obter um ingresso de cortesia para um dos palanques, posando como repórter de um jornal suíço. Seu assento estava em um ponto perto da Igreja do Espírito Santo, onde a rota se estreitava e virava. Aqui havia uma boa chance de que, no dia do desfile, os que estivessem na procissão precisassem desacelerar para passar por um velho arco de pedra. Até melhor, seu ingresso era para um assento em uma das fileiras mais próximas da rua.

Apenas um tiro de distância

Este foi apenas o quinto ano em que a liderança do Partido Nazista se reuniu em Munique para prestar homenagem a seus mortos - a cerimônia foi cancelada em 1934, como persistiam dúvidas sobre a lealdade da SA Brownshirts após sua liderança ter sido massacrada na Noite das Facas Longas, em junho. Cada ano, o ritual se tornara mais impressionante. Depois de abordar brevemente o serviço mais antigo do partido fiel no Bürgerbräukeller, Hitler partiu para refazer os passos que ele havia dado em sua primeira tentativa abortada de obter o poder, 15 anos antes. Apenas um homem o precedeu e esse foi Jakob Grimminger, membro do partido desde 1922 e portador da Medalha da Ordem do Sangue, uma condecoração restrita aos membros do partido que haviam participado da tentativa de golpe. Grimminger foi o porta-estandarte honorário do mais sagrado de todos os artefatos nazistas, o Blutfahne ou Bandeira de Sangue, que se dizia ter sido mergulhada no sangue que fluiu de todos os 16 mártires nazistas naquele dia.

Hitler seguiu imediatamente atrás do estandarte no meio de uma falange de líderes do partido e o *Alte Kämpfer*, os antigos combatentes que exibiam condecorações como o emblema de Coburg, para mostrar que haviam lutado ao lado de Hitler no início e nas mais sangrentas batalhas de rua contra o Partido Comunista Alemão. Então vieram as fileiras reunidas das unidades SS, SA e a Juventude Hitleriana de todo o Reich. Bavaud sabia que Hitler estava se aproximando muito antes de vê-lo. A batida constante, o estrondo das bandas, o barulho de 10.000 botas nas ruas e a crescente tensão entre a multidão que esperava, sinalizou que o grande homem estava perto. Então, uma expectativa silenciosa se estabeleceu do outro lado da arquibancada quando a ponta da bandeira manchada de sangue surgiu de repente através do arco coberto e a multidão teve seu primeiro vislumbre do Führer de camisa marrom. Nesse momento, Bavaud soltou com força a pistola no bolso do sobretudo pesado e recostou-se em desespero.

Havia três obstáculos inesperados para se conseguir um tiro certeiro, mesmo que o alvo bem em sua frente estivesse andando em um ritmo lento e sombrio. A visão dele de Hitler foi parcialmente obscurecida pelos braços vacilantes daqueles ao redor, todos estendidos na saudação Sieg Heil. Os outros líderes do Partido ao lado de Hitler, incluindo o corpulento Göring e o alto Julius Streicher, estavam andando em fila solta e irregular e interferindo na linha de visão de Bavaud. E para sua consternação, Hitler não estava andando no centro da coluna nazista como ele esperava, mas estava estacionado no outro lado da rua, quase a 15 m (50 pés) de distância da arquibancada e bem fora do alcance de abatimento da Schmeisser. Em poucos passos, Hitler avançou mais e foi protegido pelas cabeças e bandeiras daqueles que vinham atrás dele. A melhor chance de Bavaud de matar o anticristo havia desaparecido.

Falsificação e falha

Ao considerar seu próximo passo, Bavaud lembrou-se do conselho do capitão Deckert sobre cartas de apresentação. Nos dois dias seguintes, ele forjou duas plausíveis cartas, a primeira escrita à mão e supostamente do antigo primeiro-ministro francês Pierre Flandin. A segunda carta datilografada era "de" Pierre Taittinger, o magnata do champanhe e um proeminente defensor dos grupos políticos de direita na França entre guerras. Em dias consecutivos, Maurice usou uma carta para tentar obter acesso ao complexo Berghof e outro para tentar entrar na Brown House, sede do NSDAP em Munique. Nos dois casos, Bavaud afirmou que estava carregando uma carta altamente confidencial adicional apenas para os olhos do Führer. Esse ardil desesperado não o levou além do primeiro nível de segurança.

Bavaud passou mais alguns dias vagando por Berchtesgaden, não conseguindo visualizar como poderia se aproximar de Hitler. Então, ele fez mais duas viagens de trem através da Baviera para interceptá-lo, apenas para descobrir que o Führer tinha se lançado na direção exatamente oposta. Bavaud tinha ficado sem dinheiro e esperança, então, abandonou sua missão e embarcou em um trem com destino à França. Em Augsburg, um inspetor cauteloso entregou o estrangeiro suspeito à Gestapo. Inicialmente, seus delitos pareciam relativamente menores: viajando sem bilhete e possuindo uma arma sem ter os documentos necessários. No entanto, a descoberta de sua bagagem abandonada em seu alojamento em Berlim tornava a Gestapo muito mais curiosa. Sua bolsa continha mapas do centro de Munique e da área de Obersalzberg, além de uma caixa de munição.

A Casa da Morte

Após muitos meses de intenso interrogatório, Bavaud foi julgado no Tribunal em Berlim, em 18 de dezembro de 1939. Considerado culpado da tentativa de assassinato de "um membro do governo do Reich", ele foi condenado à morte por decapitação e enviado para a notória Casa da Morte na prisão de Plötzensee, no norte dos subúrbios de Berlim. Ele, então, sofreu uma espera agonizante de quase 16 meses antes da punição. Sua estranha ingenuidade, a falta de um bom planejamento ou recursos adequados, seu quase ridículo fracasso em "conectar-se" a seu alvo ou para determinar o paradeiro de Hitler antes de vaguear pelo Reich e, acima de tudo, sua intrigante defesa de que ele estava realizando um missão: tudo isso confundiu as organizações de segurança do Reich, que estavam acostumadas a lidar com prisioneiros políticos mais racionais e inteligíveis. Finalmente, ao amanhecer de 14 de maio de 1941, Maurice Bavaud foi liberto de sua miséria. Ele não foi acordado pelo habitual garoto de cozinha que distribuía o café da manhã com café frio e fraco e pão velho, mas pelo esquadrão de oficiais e funcionários delegados para cumprir sua sentença. Na sala de preparação, a cabeça e o pescoço foram barbeados e suas mãos foram amarradas nas costas. Quando ele chegou à sala de execução, a longa cortina preta da guilhotina foi levantada. Como muitos prisioneiros em Plötzensee, seus últimos segundos foram gastos amarrados a uma placa aguardando o toque da lâmina pesada.

Colegas de classe até o fim

Sob intenso 'interrogatório' da Gestapo, Bavaud foi forçado a oferecer a seus atormentadores alguns nomes: os de amigos e familiares e qualquer um com quem tivesse falado sobre política. Ele finalmente mencionou seu companheiro seminarista, Marcel Gerbohay. O nome de Gerbohay também apareceu em algumas cartas de Bavaud para sua família em Neuchâtel. Com seus aparentes laços com as organizações políticas católicas secretas e suas pretensões ao sangue real, Gerbohay era um personagem que claramente interessava aos inquisidores entediados de Bavaud. Na calamitosa e caótica primavera de 1940, Gerbohay parece ter escapado para a relativa segurança de Vichy na França. Ele foi, no entanto, traído por colaboradores, que o reconheceram quando voltou para sua cidade natal, Pacé, na Zona Ocupada, para ver sua mãe doente. Claramente o mentor perigoso por trás da missão de Bavaud na Alemanha, Marcel Gerbohay, foi guilhotinado em 9 de abril de 1943, na mesma Casa da Morte onde seu amigo Maurice havia morrido.

CAPÍTULO 11

20 de abril de 1939
Um Quarto com Vista

Um homem bastante rígido e disciplinado, com um fino bigode militar, estava parado na janela de seu apartamento, olhando a cena abaixo. Ele era alto e esbelto para a idade, parecia ter cerca de 50 anos. Embora não fosse particularmente bonito, seu rosto áspero e moreno e o sorriso que ocasionalmente se estendia por sua boca levemente torta, transmitiam o fato de que estava em alerta, homem inteligente, profundamente interessado e envolvido com o mundo ao seu redor. Com alguma dificuldade visível, mantinha as costas de um homem que sabe aguentar longas horas prestando atenção ao desfile. O observador agudo deve ter notado o homem frequentemente procurando e contando os dedos, como se quisesse verificar se ainda estavam todos lá. Quando se aproximou do vidro para ter uma melhor visão da rua, arrastou os dedos dos pés para dentro, como se sentisse dor para erguer as pernas adequadamente. E quando ele se inclinou para a vidraça para poder focar o olhar nos homens do lado de fora descarregando madeira e ferramentas de um pequeno comboio de caminhões, sua cabeça caiu um pouco à frente, como se todos os assuntos importantes fossem demais para o pescoço enfraquecido. Essas enfermidades e maneirismos eram o resultado de ferimentos graves, o primeiro deles sofrido em sua juventude no campo de polo, quando ele foi esmagado sob sua montaria. Um homem que gostava de carros velozes, ele havia causado mais danos à coluna e ao pescoço em um acidente de carro na Hungria, em 1933, deixando-os com uma inclinação permanente.

CAPÍTULO 11

Um soldado e um espião

Além dessas deficiências, ele possuía todas as cicatrizes habituais de um soldado profissional de carreira que havia servido durante a Grande Guerra na França e no Oriente Médio. Ele tinha visto sua parte de conflitos sangrentos, particularmente na desastrosa expedição para aliviar Kut, na Mesopotâmia, em 1916. Agora, na primavera de 1939, estava morando em um apartamento agradável perto do distrito do governo central de Berlim. Era um bairro rico e atraente, e muitos dos moradores locais eram empregados nos ministérios próximos ou eram representantes de empresas internacionais ou governos estrangeiros. Em suma, a área inteligente e o arejado apartamento eram adaptados ao Coronel Noel Mason-Macfarlane DSO MC e Two Bars Croix de Guerre, o atual adido militar britânico em Berlim, baseado na Embaixada Britânica, que ainda estava alojada no velho Palais Strousberg na Wilhelmstrasse.

Mason-Mac, como era conhecido pelos colegas da embaixada, era relativamente um novo garoto para Berlim. Sua educação militar avançada começou dentro do exército da Índia, no Staff College, Quetta, seguido de deveres regimentais e um estágio final no Imperial Defense College em Buckingham Gate, em Londres. Foi, então, enviado como adido militar para Viena, Budapeste e Bern, onde se reportou à M3, a seção de inteligência do Departamento de Guerra que monitorava a Europa Central. Berlim foi o próximo passo lógico em sua carreira ascendente. Embora só tivesse chegado a Berlim em janeiro de 1938, ele entendia a razão do barulho e da agitação sob sua janela. Em todo lugar havia equipes de trabalhadores que estavam começando a transformar Berlim na preparação para o que tinha sido planejado para ser a maior festa da história da cidade, a comemoração do 50º aniversário do Führer, em 20 de abril. E no seu bem situado apartamento, Mason-Mac estava pensando em como ele poderia ajudar a melhorar a festa para que ninguém ficasse parado.

Feliz aniversário, mein Führer

Desde o início, 20 de abril de 1939 foi projetado para ser um monumental evento nacional que eclipsaria até os impressionantes desfiles anuais do NSDAP, em Nuremberg e Munique. Demonstraria a unidade de toda a nação alemã e a força militar redescoberta de suas forças armadas. Jornais e rádios lembravam continuamente aos cidadãos alemães que essa era a oportunidade que teriam de agradecer ao Führer por todas as bênçãos econômicas e políticas que havia conquistado para seu povo. Antes de Hitler, havia apenas caos social, pragas

20 DE ABRIL DE 1939: UM QUARTO COM VISTA

O *coronel Noel Mason-Macfarlane, DSO MC e Two Bars Croix de Guerre,* foi um brilhante atirador e poderia ter impedido a Segunda Guerra Mundial se aqueles acima dele tivessem apenas ouvido seu plano para eliminar Adolf Hitler.

econômicas, traição comunista, conspiração judaica, humilhação internacional e drástica amputação territorial, com milhões de alemães condenados a viver como escravos sob domínio estrangeiro. Mas, em meros seis anos de trabalho incessante, a Alemanha de Hitler não só havia se tornado a nação mais rica da Europa, mas também era a mais respeitada e temida. Seus inimigos internos foram suprimidos, sua economia havia sido rejuvenescida por gastos na infraestrutura maciça e militar, os insultos de Versalhes haviam sido repudiados e quase todos os alemães oradores da Europa foram reincorporados ao Terceiro Reich alargado que agora dominava o mapa da Europa. Havia muito a agradecer a Hitler em abril de 1939.

Uma grande festa alemã

Os preparativos para o grande dia estavam em andamento desde os primeiros dias quentes da primavera. A Siegessäule prussiana ou a Coluna da Vitória foram transplantadas desde a sua posição original, perto do Reichstag, até uma localização central na ampliada rodovia Eixo Leste-Oeste que dividia o oeste de Berlin. Nos planos megalomaníacos de Albert Speer para uma futura capital chamada Germania, esta avenida seria rebatizada como Triumphstrasse. Para a festa de aniversário de Hitler, todo o bulevar estaria coberto por inúmeras bandeiras com suásticas e dezenas de holofotes estavam sendo instalados em Berlin para que o raio da meia-noite mostrasse que a hierarquia nazista possuía muito. O programa incluía eventos menores que confirmavam a superioridade da arte, música e tecnologia alemãs e em todos os espaços públicos de Berlin, fosse uma sala de concertos, teatro ou ao ar livre *Platz*, uma miríade de organizações contribuiria para a grande festa da germanidade. Em breve, participantes de órgãos oficiais de todas as partes do Reich inchariam os números que se aglomeravam na capital. O grande dia culminaria numa colossal e arrogante exibição de bombardeio nazista, o desfile militar. Isso incluiria pessoal de todos os ramos das Forças Armadas alemãs, acompanhados de seus equipamentos técnicos e mecanizados, enquanto formações da Luftwaffe circulariam continuamente acima.

Hitler não queria apenas lembrar seus súditos alemães dos orgulhosos frutos do trabalho dele. Ele estava apavorando suas futuras vítimas, particularmente seu próximo alvo - os poloneses. Esperava-se que o desfile demorasse quatro horas para passar pelas arquibancadas que continham figurões alemães e uma horda de dignitários estrangeiros, mas, no caso, levaria quase cinco. Como soldado profissional e militar, Mason-Macfarlane passara a vida inteira assistindo à pompa marcial, então, poderia ser perdoado se sentisse um pouco de indiferença pela folia que se aproximava. Ele já tinha visto alemães marchando antes. Mas, agora estava pensando em algo muito interessante sobre os preparativos do lado de fora de seu apartamento. Ele percebeu que os homens na rua estavam prestes a construir o pódio a partir do qual Hitler revisaria suas legiões e, de repente, percebeu o quão perto este estava do seu apartamento.

O plano para pegar Hitler

No grande dia, Hitler ficaria preso naquele pódio por pelo menos quatro horas: mantendo-se relativamente imóvel e ostentando uma postura imperial durante todo o desfile, levantando incessantemente o braço direito para reconhecer a homenagem dos homens marchando abaixo. Mason-Macfarlane estimou que a distância de seu o apartamento ao pódio tinha cerca de 100 m (328 pés). Estava, certamente, a mais do que isso. Ele provavelmente usou essa estimativa baixa para ajudar a convencer seus superiores de que seu plano de assassinar Hitler em plena luz do dia, no meio de Berlim e no momento mais público da vida do ditador, era, de fato, viável. A distância era curta o suficiente para um atirador competente, com mão firme e um rifle de alta velocidade com mira telescópica fazer um trabalho limpo. Melhor ainda, Mason-Mac percebeu que se o atirador se afastasse bem da janela do apartamento, ele ainda poderia ver o alvo e o brilho do cano não seria avistado pela multidão lá embaixo. Isso tornaria mais difícil para os observadores descobrirem de onde a bala tinha vindo. O aplauso em êxtase de nazistas devotados, o barulho da fanfarra, o estrondo dos tanques no chão e o zumbido da aeronave acima encobririam o som do tiro. E com um quase estático alvo, um assassino experiente teria todo o tempo necessário para escolher seu momento.

Um obstinado escocês

Mason-Mac estava determinado a fazer o trabalho sozinho. Esse era seu plano. Aprendeu a atirar como um menino na fazenda da família em Forfarshire e tinha desfrutado de uma reputação como um bom atirador ao longo de sua carreira no exército. Ele disse a um amigo e colega próximo que o trabalho era 'tão fácil quanto piscar e mais, estou pensando em fazer isso'. Mas entendeu bem os riscos que estava assumindo. O atirador que matasse Hitler se tornaria instantaneamente o homem mais caçado na história. Mesmo que ele conseguisse, por algum milagre, deixar o centro de Berlim sem ser detectado e depois sair do Reich, ele nunca estaria seguro. Ele sempre seria o primeiro suspeito da Gestapo, não apenas porque morou perto da rota do desfile, mas porque tinha deixado sua aversão aos Nacional-Socialistas bastante pública enquanto se misturava nos círculos diplomáticos de Berlim. Isso significava que seria um homem marcado pelo resto da vida, nunca a salvo de uma faca nazista vingativa ou de uma bala. As chances eram de que ele estivesse morto dentro de uma semana. Por outro lado, ele teria uma grande satisfação pessoal ao fazer Herr Hitler provar de seu próprio remédio.

O bandido do arco

No auge da crise de Anschluss, no início de 1938, Mason-Mac havia dirigido até a Áustria para testemunhar que o país histórico está sendo devorado pelo Império Nazista da Grande Alemanha. A caminho de Viena, parou em uma garagem perto do local de nascimento de Hitler, Linz, assim como um comboio de carrões Mercedes pretos acelerou, levando o Führer em direção à sua entrada triunfal em Viena. Ele observara os sinistros guarda-costas do SS "cheios de metralhadoras" enquanto guardavam o homem que ele apelidou de "o bandido do arco". Aos olhos de Mason-Mac, Hitler era tão pequeno quanto um gangster barato, mas inteligente, que se aproveitou do desespero de milhões de alemães após mais de uma década de depressão e austeridade. Ele aproveitou o momento para distorcer a história, identificar bodes expiatórios e vender uma mistura venenosa de racismo, populismo e expansionismo. Mason-Mac tinha testemunhado o tratamento aos judeus na Kristallnacht e tinha ficado enojado com isso. Naquele setembro, ele estava na fronteira com a Tchecoslováquia e tinha visto a guerra não declarada travada pelo Sudeten Freikorps nazista contra autoridades legítimas da República Tcheca. E ele reuniu ampla evidência da enorme concentração de armas e homens que estavam sendo armazenados ao longo da fronteira alemã-polonesa durante o verão de 1939. Estava claro para Mason-Mac que Hitler, tendo digerido os restos da Tchecoslováquia na primavera, estava se preparando para iniciar uma guerra total no Oriente.

Mason-Mac argumentou que essa guerra viria rapidamente porque a Alemanha tinha uma vantagem significativa sobre a Polônia e a União Soviética em termos de guerra material e prontidão nacional. Mas, como Hitler também sabia, a vantagem era apenas temporária. O Führer sabia muito bem que a melhor chance de vitória da Alemanha contra a Polônia ocorreria em um ataque repentino no outono, antes do inverno. Na opinião de Mason-Mac, essa guerra inevitável poderia ser evitada com uma bala. Ele estava bem ciente de que, enquanto o carismático Hitler conquistava as massas, a elite militar da Alemanha tinha sentimentos contraditórios sobre seu comandante supremo. Se Hitler fosse retirado, Mason-Mac acreditava que o Alto Comando Alemão interviria e estabilizaria a situação. Houve muitos sinais para sugerir que ele estava certo. Escritores posteriores frequentemente explicariam a brecha entre Hitler e seus generais em termos de esnobismo de classe: os generais aristocráticos alemães sobre o ignorante cabo austríaco. De fato, os oficiais altamente treinados da elite da Wehrmacht haviam analisado a visão de futuro de Hitler e muitos deles suspeitavam de que estavam sendo arrastados para guerra invencível e eles não tinham apetite por uma repetição de 1914-18.

Chutando para cima

Mason-Macfarlane compartilhou seu plano de assassinato com seu superior, o britânico embaixador em Berlim, Sir Nevile Henderson, mesmo sabendo que não receberia apoio naquele trimestre. Os dois homens não se davam bem. De várias maneiras, Mason-Macfarlane, um homem com um cérebro de primeira classe e capacidade linguística excepcional, era um intruso dentro do establishment britânico. Apesar de ter participado em Eton, ele nunca havia absorvido completamente o grupo imperial que pensava que dominava os escalões superiores do governo e da sociedade britânica nesse período. Por contraste, Henderson era um diplomata de carreira que apoiava consistentemente a política oficial de apaziguar o Terceiro Reich. Ao assumir seu cargo em Berlim, em 1937, ele prometeu que procuraria ver os bons e os maus no regime nazista. Para esse fim, ele se tornou um bom amigo de Hermann Göring, que compartilhava de seu amor pela caça. Henderson acreditava que Hitler era uma realidade na vida política que não poderia ser desperdiçada, mas que poderia ser gerenciada se as democracias do Ocidente tentassem entender suas queixas, especialmente aquelas concessões territoriais impostas com mão pesada pelo Acordo de Versalhes. Henderson entendia que as demandas territoriais de Hitler eram razoáveis. Os tchecos criaram seu próprio destino, recusando-se a aceitar as demandas iniciais de Hitler pela região Sudetense de língua alemã. Do mesmo modo, as exigências da Alemanha de reincorporar a cidade livre de Danzig ao Reich eram bastante justificáveis na opinião de Henderson, mas a raiva da Polônia não era. Naturalmente, Henderson ficou indignado com o plano de

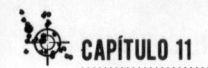

Mason-Mac e isso acenderia uma grande crise diplomática em um momento tão delicado da história europeia.

Pés frios no Ministério das Relações Exteriores

O secretário de Relações Exteriores, Lord Halifax, chefe de Henderson em Londres, concordou. A situação na Europa não era tão crítica a ponto de justificar um assassinato como substituto da diplomacia, ele argumentou. Um ataque pessoal a Adolf Hitler seria um ato altamente perigoso e inflamatório e refletiria desonrosamente sobre Grã Bretanha. Além disso, era "antidesportivo". Apenas Sir Stewart Menzies, chefe do MI6 e como Mason-Mac, de herança escocesa, expressou 'cauteloso interesse' na ideia de decapitar o Terceiro Reich. Mason-Mac foi rapidamente levado de Berlim para o posto promovido de Brigadeiro-General, na Real Artilharia em Aldershot, onde ele teria pouca oportunidade de interferir nos grandes eventos que se desenrolariam na Europa central. Como resultado, o desfile de Hitler aconteceu sem interrupção sangrenta. Não houve relato repentino de espingarda, nenhuma figura de camisa marrom caindo no chão, sem pânico e histeria se espalhando pela cidade. O triunfo do Führer se desenrolou exatamente como seus principais pensadores, Albert Speer e Joseph Goebbels, haviam planejado. Naquele mesmo dia, Hitler convocou uma reunião secreta em seu estudo com os comandantes-em-chefe da Wehrmacht, a Kriegsmarine e a Luftwaffe. Ele os lembrou da necessidade de guerra por iniciativa da Alemanha. Eles foram ordenados a estarem prontos para uma batalha relâmpago contra a Polônia no final do verão.

CAPÍTULO 12

8 de novembro de 1939
Explodindo o Bierkeller

A bomba detonou às 21h20, exatamente como planejado. Seu principal ingrediente era donarit, uma substância gelatinosa altamente explosiva usada na prospecção e extração nas pedreiras. Por precaução, uma grande quantidade de pó preto, um tipo usado na mineração, foi embalado em torno do dispositivo. A explosão foi tão espetacular quanto o esperado: a coluna de tijolos e pedras foi destruída pelo dispositivo. Ela ajudava a sustentar uma varanda superior do comprimento do salão e até o final da sala, a varanda desabou instantaneamente no palco, achatando o pequeno pódio que normalmente era usado pelos palestrantes. Grande parte do teto desabou com ela. A onda de explosão rolou pelo corredor, quebrando as luminárias de vidro elaboradas e estilhaçando as grandes janelas ao longo da parede direita. Até as pesadas portas de madeira de ambos os lados foram arrancadas de suas dobradiças. Um momento antes da bomba explodir, o salão principal do Bürgerbräukeller parecia muito com o que era desde a sua abertura, em 1885. Era um salão espaçoso, bem iluminado e com painéis de madeira, com seis longas filas de pesadas mesas de madeira cobertas de linho branco e um corredor central que levava o olhar à cena seguinte. Agora aquele palco estava invisível, esmagado sob um emaranhado de aço retorcido, tijolos quebrados e pedaços irregulares de concreto demolido. Enquanto uma nuvem de poeira de gesso se assentava, ficou claro que metade da sala havia sido reduzida a uma montanha de entulho, madeira lascada e vidro quebrado.

CAPÍTULO 12

O Bürgerbräukeller em Munique após a bomba projetada para eliminar Hitler, que havia saído.

Detritos voadores

Apenas 20 minutos antes, quase 3.000 pessoas estavam amontoadas no salão, a maioria sentada nas longas mesas cobertas de canecas de cerveja. Sua alegria jubilosa, aplausos e o movimento de pés tinham ameaçado trazer o telhado abaixo. Às 21h20, terminada a reunião, a maioria da multidão havia se esquivado para Rosenheimerstrasse para voltar para casa ou caminhar em direção a outro bar. Havia apenas cerca de 120 ou menos no corredor quando a noite terminou mal. Alguns da plateia haviam se demorado conversando com velhos amigos e colegas enquanto pegavam seus casacos e lentamente saiam. Os funcionários do bar estavam ocupados, limpando as mesas, recolhendo os copos vazios e empilhando as cadeiras para facilitar a limpeza do chão. Outros funcionários uniformizados estavam derrubando as coloridas bandeiras e estandartes que haviam decorado o salão durante toda a noite e alguns técnicos estavam colocando os microfones de volta à caixa. Depois de mais uma noite da "Horst Wessel Canção" e *"Der Gute Kamerad"*, a banda estava arrumando seus instrumentos e pensando em uma cerveja quando uma maré repentina de detritos voadores subiu pela sala e matou oito pessoas. Vários foram mortos instantaneamente e mais de 60 ficaram feridos.

O bombardeiro

Georg Elser tinha todas as qualificações técnicas necessárias para o trabalho de criador da bomba. Ele se formou na faculdade de treinamento com excelentes notas e era um eletricista qualificado, além de ser um habilidoso carpinteiro e marceneiro. Depois de ter trabalhando como fabricante de móveis, tornou-se operador de torno, produzindo hélices para a incipiente empresa de aeronaves Dornier. Quando a Grande Depressão atingiu a Alemanha, Elser pegou sua bicicleta e encontrou trabalho onde podia. Em um fábrica, ele fazia caixas de relógios, mas também aprendia bastante sobre o funcionamento interno. Embora fosse um homem habilidoso, conseguiu empregos no Waldenmaier, fábrica de armamentos na cidade industrial de Heidenheim e em uma pedreira um pouco descuidada na vizinha Königsbronn. Em ambos os postos, ele rapidamente desenvolveu o autoconhecimento, aprendendo com colegas e adquirindo algumas peças úteis: fusíveis, detonadores, cartuchos de detonação e um suprimento significativo de explosivos. Estes eram necessários para que ele realizasse sua ambição na vida: assassinar Adolf Hitler, Joseph Goebbels e Hermann Göring de uma só vez.

O homem quieto

Elser tinha vários amigos e colegas comunistas e pode ter sido influenciado por eles para se juntar ao KPD. Em meados da década de 1920, por um curto período de tempo, foi membro de um grupo de esquerda militante, a Liga dos Lutadores da Frente Vermelha. Ele foi, de fato, um sindicalista comprometido e um membro da Federação de Sindicatos de Marceneiros, mas ele não estava particularmente interessado em política de esquerda e não foi cotado para ser um agitador. Um homem pensativo, mas quieto, que não gostava de reuniões políticas e das constantes conversas e discussões que aprofundavam pela noite. Participou de três reuniões do KPD e isso foi o suficiente. Elser era um homem prático, de poucas palavras. Como muitos trabalhadores nos anos entre guerras, foi obrigado a se interessar por política graças à frustração e desespero causados por períodos de desemprego e períodos ocasionais de trabalhos mal remunerados que não faziam uso de seus talentos. Ele fez uma decisão política importante, no entanto. Desde o início, decidiu que não gostava de Hitler e seus nazistas. Particularmente, não gostava das leis trabalhistas nazistas e da forma como restringiram os sindicatos, justificando ser um acordo melhor para seus membros. Durante toda a década de 1930, ele anotou seus salários sempre em queda e o crescimento das deduções que o governo de Hitler fazia para financiar seus esquemas grandiosos.

CAPÍTULO 12

Embora sua própria vida privada como um trabalhador viajante fosse complicada e na qual figuravam várias mulheres, herdara um forte senso de bem e mal de sua rigorosa mãe protestante. À sua maneira, era um homem de moral e não gostava da injustiça. Ele sabia em seu íntimo que os nazistas eram muito ruins. Nas várias pequenas cidades em que viveu durante os anos de Hitler, era conhecido por se afastar de manifestações e desfiles nazistas e se recusava a usar a saudação de Hitler. Ele detestava a maneira como Hitler hipnotizou os jovens da Alemanha como um moderno flautista mágico, muitas vezes alienando-os de seus pais e famílias. E não foi levado pela propaganda de Goebbels: preferia ouvir os outros pontos de vista disponíveis nas estações de rádios estrangeiras. Um período de trabalho no escritório de expedição dos armamentos Waldenmaier deu a ele ampla evidência dos preparativos de Hitler para a guerra. No final de agosto 1938, quando a Europa se preparava para o conflito sobre a Tchecoslováquia, Elser decidiu que alguém teria que parar o louco e sua gangue. Se ninguém mais fizesse isso, ele teria que fazer.

Melhores planos

Nos 15 meses seguintes, Elser se dedicou ao seu plano. Ele percebeu que os três principais nazistas raramente estavam juntos em público, mas todos compareceriam às cerimônias anuais realizadas em Munique todo mês de novembro para comemorar o fracasso do golpe de 1923. A cada ano, antigos membros do partido realizavam uma manifestação no Bürgerbräukeller, onde Hitler reuniu seus homens e lhes deu uma conversa animada antes de partir para o fracasso e um período na prisão. Era um grande momento no calendário anual da Nacional-Socialista. E Elser observou que o Bürgerbräukeller era uma arena relativamente pequena onde o impacto de uma explosão seria letal.

Ele fez várias viagens a Munique para encontrar o melhor local para esconder uma bomba no salão cerimonial. Por fim, escolheu uma coluna próxima à pequena plataforma onde Hitler daria seu discurso e onde os outros figurões nazistas estariam sentados. Examinou a extremidade inferior da coluna e mediu onde ele poderia criar um nicho secreto que armazenaria a bomba. Os pais de Elser pertenciam a uma fazenda com um pequeno pomar na zona rural de Baden-Württemberg, perto da fronteira com a Baviera, e isso lhe proporcionou um galpão para trabalhar e um local recluso para testar seus protótipos. A bomba estava quase pronta no início agosto de 1939, ele, então, se mudou para Munique com sua caixa de ferramentas de madeira, os detonadores, alguns fios, uma bateria e dois mecanismos de relógio de Westminster.

8 DE NOVEMBRO DE 1939: EXPLODINDO O BIERKELLER

Georg Elser podia ver como as coisas estavam indo na Alemanha e decidiu parar o louco e sua gangue.

CAPÍTULO 12

Um cara normal

Todo dia ele tomava uma refeição noturna no Bürgerbräukeller para conhecer os funcionários e estabelecer-se como um cliente agradável, amigável e regular. Era cuidadoso em conhecer o cachorro da casa que à noite acompanhava o zelador enquanto fechava o prédio e ele dava-lhe petiscos ocasionais. Assim, o cão reconheceria seu cheiro caso se encontrassem no corredor e não pensaria em atacá-lo. Cada noite, quando o horário de fechamento se aproximava, subia as escadas da galeria e se escondia em uma pequena despensa até o prédio fechar. Na maioria das noites, ele tinha pelo menos seis horas para continuar seu trabalho antes que a equipe da cozinha começasse a chegar. Pouco antes das 7 da manhã, era a hora dele sair por uma porta lateral. Caso o pessoal da manhã o interrogasse, havia treinado várias desculpas para explicar sua presença, principalmente sobre voltar para recuperar algo que havia perdido no bar na noite anterior. Tudo o que Elser fez foi meticulosamente planejado e executado. Ele construiu um pequeno painel articulado de madeira para ocultar as incisões que teve que fazer nos painéis de madeira para ter acesso à coluna de dentro. E escolheu ferramentas leves e afiadas para perfurar a própria coluna, abafando-as para minimizar o som de suas atividades. Tanto quanto possível, tentou sincronizar suas pancadas com os barulhos na rua e tomou um cuidado excepcional para cobrir suas trilhas pela manhã, varrendo e retirando qualquer poeira ou detritos reveladores.

Definir a data

Quando a bomba estava pronta para ser inserida no nicho que havia lascado fora da coluna, foi alojada em uma caixa bem construída, embalada com cortiça e aparas de madeira para mascarar o tique-taque dos dois movimentos do relógio no interior. Ele criou um cronômetro de seis dias para ter flexibilidade para decidir quando seria mais seguro levar a bomba ao corredor, configurá-la e deixá-la fazer o pior. Depois da consideração cuidadosa, colocou a bomba no nicho da coluna na quinta-feira, 2 de novembro, e retornou três noites depois para ativar o cronômetro. Na tarde de 8 de novembro, a bandeira de sangue do Nacional-Socialista seria levada pelo corredor lotado e colocada no palco. Um sombrio Hitler seguiria com a cabeça baixa e subiria ao pequeno pódio para abordar seus antigos camaradas. Na coluna logo atrás dele, a bomba relógio de Elser estaria prestes a ficar sem seu tique-taque.

8 DE NOVEMBRO DE 1939: EXPLODINDO O BIERKELLER

Destino acidental

Hitler não estava tendo uma boa semana. No domingo, 5 de novembro, seus generais haviam argumentando, mais uma vez, que a ofensiva planejada contra a França deveria ser adiada. O inverno estava se aproximando e qualquer manobra militar quase certamente fracassaria. Hitler calculou que, se seus generais não gostavam de uma guerra de inverno, seus colegas franceses e britânicos também não gostariam. Eles poderiam, portanto, ser pegos de surpresa. Na terça-feira, 7 de novembro, ele concordou com relutância em pensar sobre a sugestão do Alto Comando de adiar todos os planos por cinco semanas e ter uma nova visão das previsões meteorológicas por volta de 12 de dezembro. Hitler viu algum mérito nisso: o Natal parecia uma época ainda melhor para lançar uma invasão surpresa. Foi acordado que uma decisão final sobre a data da ofensiva deveria ser realizada em uma reunião em Berlim, em 9 de novembro. Mas isso significava encurtar a comemoração anual de dois dias em Munique, em comemoração ao 1923, no Putsch, um dos acontecimentos mais queridos no ano de Hitler. Relutantemente, as procissões públicas e cerimônias no coração da cidade foram canceladas, mas o Führer foi inflexível e determinou que seu discurso para seus antigos camaradas no Bürgerbräukeller, na quarta-feira à noite, deveria continuar como sempre.

As previsões de neblina muito forte mudaram os planos de viagem de Hitler. Os seus pilotos asseguraram-lhe que voar de volta para Berlim não era aconselhável, então, ele teria que viajar de volta para Berlim de trem. O único horário possível para seu trem particular que não interferiria com os outros no tráfego ferroviário programado exigia que a partida fosse, o mais tardar, às 21:31h. Como resultado, sua grande entrada em Bürgerbräukeller teve que começar uma hora antes. Seu discurso foi mais curto do que o habitual e, pela primeira vez, o Führer ouviu os sinais para fechar a boca vindos de seus ajudantes nervosos. Ele encerrou seu discurso em tempo recorde, às 21:07h, e marchou espertamente para fora do salão sob uma ovação extasiada.

Infelizmente, os veteranos que estavam lá por aqueles minutos especiais após o discurso, quando o Führer caminhou entre seus antigos camaradas, conversando, balançando mãos e os reconhecendo como amigos de longo tempo, teriam ficado desapontados. Do lado de fora, Kempka estava pronto no carro, esperando para correr para a próxima estação. Hitler já estava em seu carro quando a bomba de Elser explodiu. Se o som da bomba chegou a Munich Hauptbahnhof, se perdeu na acústica discordante de uma grande estação ferroviária. O Führer poderia

CAPÍTULO 12

agora relaxar. Ele voltaria a Berlim a tempo e renovado para a briga com seus cautelosos generais no dia seguinte. O trem parou brevemente em Nuremberg e Goebbels aproveitou a parada para enviar algumas mensagens do escritório do chefe da estação. Foi lá que ele soube da atrocidade no salão de cerveja. Os companheiros de Hitler ficaram horrorizados com as notícias e Eva Braun estava especialmente preocupada. Ela havia insistido para que o pai estivesse presente no grande evento e ele era um dos feridos. A primeira reação de Hitler às notícias era descrença e depois raiva, porém, mais tarde, na jornada para o norte foi mais otimista sobre o ataque à bomba. De novo, havia sobrevivido a uma tentativa de assassinato e ele e seu destino estavam incólumes.

Apanhado na fronteira

Na noite da explosão de Bürgerbräukeller, Georg Elser apresentou-se na fronteira entre a Suíça e a Alemanha perto de Constança. Os guardas pensaram que havia algo um pouco incomum em seus modos e decidiram vistoriá-lo. Na sua mochila encontraram pedaços de arame, um pequeno pedaço de metal que mais tarde foi identificado como um pino de disparo, um desenho a lápis de algum tipo de mecanismo e um cartão postal colorido do agora destruído salão de cerveja em Munique. Assim começou o trabalho da detenção de Elser, que duraria cinco anos e meio. Quando questionadas, as garçonetes do Bürgerbräukeller confirmaram que ele era um cliente regular lá nos últimos meses. Era um sujeito amigável de quem elas se lembraram porque só pedia um copo pequeno de cerveja todas as noites. Feridas cheias de pus nos joelhos sugeriam que havia passado muito tempo ajoelhado: grande parte do trabalho de Elser na coluna fora feito mais abaixo, perto do chão.

O momento da tentativa de Elser de atravessar a fronteira não o ajudou. Ele decidiu deixar a Alemanha apenas quando soube que sua bomba funcionara. Depois que explodiu, ele sabia que não poderia permanecer no Reich, pois as autoridades logo iriam procurá-lo. Em uma de suas vigílias noturnas na cervejaria, um membro da equipe encontrou-o nas instalações muito tempo depois que todos os outros os clientes tinham ido para casa. Ele preparou uma explicação convincente para o evento, mas agora seria lembrado e atrairia suspeitas. Sob intenso interrogatório da Gestapo e, apesar de vários espancamentos, manteve sua verdadeira história de que agiu sozinho. Ele não tinha colaboradores. Nem os comunistas, nem os britânicos, os franceses ou os judeus. Elser nem ouvira falar da Frente Negra à qual ele deveria pertencer.

Ele mostrou aos inquisidores cinco escalas inteiras de desenhos detalhados que ele havia feito do mecanismo. Quando lhe deram ferramentas e materiais, ele demonstrou aos seus captores que poderia fazer uma réplica da bomba. Na pedreira e na fábrica de armas Waldenmaier, a Gestapo encontrou muitas evidências de gerenciamento negligente e manutenção de registros deficiente. Isso deixou claro para eles que Elser poderia facilmente ter adquirido os componentes necessários para fazer a bomba. Hitler, porém, recusou-se a acreditar que aquele homem desinteressante, sem apoio substancial, teria concebido e executado uma trama que poderia ter acabado com a liderança da Alemanha simplesmente porque ele queria "fazer algo que evitasse mais derramamento de sangue".

Espiões de Sitzkrieg

Poucas horas depois da explosão, a trama fracassada de Georg Elser em Munique estava estranhamente ligada à situação militar mais ampla em toda a Europa. Hitler passou setembro e outubro de 1939 invadindo e depois subjugando a Polônia, mas nada havia acontecido na Frente Ocidental desde que a Grã-Bretanha declarou guerra em 3 de setembro. Essa paralisação foi chamada de Sitzkrieg ou Guerra Assentada pelos alemães, enquanto o nome Falsa Guerra pegou na Grã-Bretanha e nos EUA. Havia muitos nas democracias do oeste da Europa, e alguns na Alemanha, que esperavam que a ação diplomática ainda pudesse ajudar a evitar um grande conflito. Para esse fim, uma operação de inteligência relativamente menor baseada na Holanda estava em andamento desde o início de setembro, envolvendo britânicos e a inteligência holandesa. Dois oficiais britânicos, capitão Best e major Stevens, além de um agente holandês, o tenente Dirk Klop, participaram de oito reuniões secretas com vários oficiais alemães supostamente descontentes em casas diferentes na Holanda. Havia inevitavelmente muita decepção e treino de lutas nesses eventos, mas, em essência, os britânicos esperavam identificar alguns opositores genuínos enquanto os alemães procuravam informações úteis que os agentes britânicos podiam deixar escapar em seus outros contatos.

Por volta das 9 horas da manhã de 9 de novembro, 12 horas após a atrocidade em Munique, os agentes alemães que administravam seu lado da operação receberam novas ordens impressionantes para sequestrar Best e Stevens. Após um tiroteio em uma parada ferroviária sobre a fronteira entre Holanda e Alemanha, perto da cidade de Venlo, os dois homens do Serviço Secreto de

CAPÍTULO 12

Inteligência Britânico foram colocados em um carro e levados a cinco anos e meio de prisão no Terceiro Reich. A máquina de propaganda de Goebbels deixou o povo alemão certo de que os dois espiões tinham sido pegos 'fugindo' da Alemanha com os contatos e manipuladores do traidor comunista Georg Elser. Como "prova", fotografias dos três conspiradores, Best, Stevens e Elser, receberam o mesmo espaço nas primeiras páginas de jornais nazistas. Com toda a probabilidade, Hitler havia simplesmente decidido que ligar dois espiões britânicos ao atentado na cervejaria ajudaria a provocar um forte sentimento anti-britânico na Alemanha.

Rumores posteriores sugeriram que Elser estava recebendo privilégios de 'prisioneiro especial' porque alguém na hierarquia nazista tinha uma razão para mantê-lo vivo. Os teóricos da conspiração alegavam que ele sempre trabalhara para o comandante do SS Heinrich Himmler, que planejava matar Hitler e sucedê-lo como Führer. No entanto, nenhuma explicação convincente ainda foi oferecida para sugerir porque Himmler iria querer sentar-se ao lado de uma bomba-relógio. Outros reivindicaram que Elser foi mantido vivo porque sabia algo que Himmler queria manter em segredo. Se isso fosse verdade, sua vida na prisão teria acabado imediatamente. Provavelmente, Elser foi mantido em seu posto até ser necessário no futuro, possivelmente como testemunha na versão pós-invasão dos Julgamentos de Nuremberg, em quais políticos britânicos e figuras da inteligência estariam no banco dos réus

CAPÍTULO 13

Final de 1939
Os enredos da Falsa Guerra

Hitler estava em pleno discurso retórico. De pé e enfurecido em sua mesa, apertando o punho cerrado e cuspindo o cardápio completo de desprezo, ressentimento e descaso que reservava para seus comandantes militares. Eles eram covardes, idiotas tímidos, assustados e sem imaginação. Nenhum deles compartilhou ou entendeu sua visão estratégica. Todos estavam infectados com o espírito de Zossen. Ele os expulsou e os substituiu por comandantes verdadeiramente heroicos, aptos a liderar o exército alemão na batalha e rumar ao seu destino histórico, que era a vitória final da Raça Dominante. Do outro lado da mesa, o marechal de campo von Brauchitsch, comandante em chefe-da--Wehrmacht, ficou parado e suportou a barreira. Ele esperava essa onda ofensiva. Hitler e seus generais estavam em desacordo há meses. Em jogo estava a decisão de encerrar a Falsa Guerra rapidamente e atacar no oeste de uma só vez.

Em um rolo

Hitler acreditava no momento. Tudo correu como planejado em 1939, por isso tinha sido um bom ano. As democracias ocidentais estavam paralisadas com medo e indecisão. Em março, ele ocupou a Boêmia e a Morávia, eliminando a odiada Tchecoslováquia e, como um bônus, intimidou os lituanos a entregar o porto de Memel ou Klaipéda e seu interior, eliminando mais uma provisão do odiado Acordo de Paz de 1919. Durante o verão, ele assinou o Pacto de Aço com a Itália fascista e, mais importante, um tratado de não agressão com a União Soviética. Mas, a tinta mal tinha secado no Tratado Molotov – Ribbentrop e a Alemanha invadiu o oeste da Polônia em uma guerra relâmpago que durou 36 dias. Para Hitler, fazia sentido pressionar e manter a iniciativa enquanto os deuses da guerra o favoreciam. O atraso daria aos Aliados apenas um pouco mais de tempo para a preparação antes da guerra estática no oeste, inevitavelmente, irrompendo em conflito aberto.

Mas seus generais discordaram. Eles não tinham sua autoconfiança messiânica e podiam ver as dificuldades que a guerra de inverno apresentava. Poucos deles tinham muita confiança na Operação Amarela, o plano de invadir os neutros Países Baixos e a França. Com o desaparecimento da Polônia em outubro, a Alemanha agora compartilhava uma longa fronteira com a União Soviética, uma nação que dificilmente seria aliada ou confiável, na opinião deles. Como resultado, forças alemãs significativas estavam agora permanentemente comprometidas com a defesa do Oriente. França e Grã-Bretanha demoraram a despertar e Hitler certamente havia enganado seus líderes e diplomatas, mas permaneciam poderosos inimigos. Os britânicos tinham sua Marinha Real e os franceses haviam construído um magnífico sistema de fortificações, de longe, superior a qualquer outra coisa na Europa. Havia muito a dizer e pensar com cuidado sobre o próximo passo da Alemanha. E, como muitos no Estado Maior esperavam, poderia haver outra chance de acabar com o cabo louco antes da Europa entrar em guerra total.

Os veteranos de 1938

Muitos dos conspiradores da crise tcheca continuaram determinados a remover Hitler do poder. No final do verão de 1938, eles adquiriram alguma experiência para organizar um golpe clandestino e aprender em quem confiar. Suas fileiras também tinham crescido desde a Crise de Munique, em setembro de 1938. Como Hitler alinhou a Alemanha cada vez mais perto da guerra ao longo de 1939, vários outros oficiais do exército haviam mostrado sinais de que simpatizavam com os objetivos dos conspiradores. A maioria não estava convencida de que o ataque planejado no Oeste seria tão fácil como Hitler acreditava. Alguns também ficaram perturbados com a campanha de terror e atrocidades em massa contra civis poloneses, realizadas não apenas pelo SS, mas por nazistas entusiasmados dentro das fileiras da Wehrmacht. Oster e Canaris esperavam que a tensão crescente em toda a instituição alemã, a escalada iminente da guerra no Oeste, lhes daria uma oportunidade de reviver o 'espírito de resistência'. Mas as tentativas e visões mutáveis do general Franz Halder, e as perguntas que ele fazia a si mesmo, eram muito mais típicas do alto escalão alemão nas últimas semanas de 1939.

Resistência tentadora

Halder, que era chefe do Alto Comando do Exército, não gostava de Hitler, detestava Himmler e acreditava que todo o programa nazista era mau. Ele havia considerado matar Hitler com sua própria pistola em várias ocasiões, mas falhou em agir. Oster, Canaris e outros achavam que Halder tinha os atributos morais ideais e o nível certo de antiguidade para facilitar a ação contra o Führer. Contudo, como muitos oficiais alemães, Halder não conseguiu quebrar o juramento de lealdade que havia feito a Hitler em 1934, quando o chanceler se tornou o Führer. Então, esse era seu dever com seu país. Ele sentia que um ato contra Hitler enquanto a Alemanha estivesse em guerra seria um ato de um traidor e um rebelde. Além desses obstáculos morais, havia questões práticas a serem consideradas. Muitos jovens oficiais do exército haviam crescido durante os anos de Hitler e muitos eram fervorosos socialistas e apoiadores do "Projeto Hitler". Eles certamente relutariam em participar de um golpe contra o Terceiro Reich.

E que apoio haveria entre a população alemã em geral para um grupo de generais relativamente desconhecidos que assassinariam o mais popular e bem-sucedido líder na história alemã? Se Hitler fosse morto, o Partido Nazista não desapareceria da noite para o dia, então, haveria outra questão ao matar Hitler, e se ele fosse simplesmente substituído por Himmler ou Göring? De ouvir falar, Halder também sentiu que a rede de possíveis conspiradores em outubro de 1939 era maior que em 1938, mas era mais dispersa e muito mais fraca. Quando ele escutou que uma nova conspiração estava em andamento, mudou duas unidades de tanque para os arredores de Berlim, sob o pretexto de que as máquinas precisavam de reparos e os homens precisavam descansar após a campanha polonesa. Mas depois que ele considerou os conspiradores despreparados, os tanques foram retirados da cidade.

O espírito de Zossen

Halder e Brauchitsch haviam decidido que o melhor curso de ação era tentar convencer Hitler a adiar o ataque ocidental o maior tempo possível. Hitler queria atacar em 12 de novembro e protocolos acordados indicavam que o Estado-Maior deveria ser informado com sete dias de antecedência, a fim de dar-lhe tempo para as preparações. A última oportunidade que os generais teriam para dissuadir o Führer de seu curso desastroso de ação seria em 5 de novembro, portanto. Naquele dia, Brauchitsch e Halder viajaram juntos para apresentar suas objeções, mas no evento Brauchitsch conheceu o Führer e escutou seu discurso sozinho enquanto Halder se inquietava na antessala. A escalada no oeste foi de fato adiada, mas graças à previsão de tempo muito ruim e não às observações de Brauchitsch.

CAPÍTULO 13

Viajando no carro depois, ele descreveu a "reunião" para Halder e mencionou o uso da frase "espírito de Zossen" por Hitler. Desde os dias imperiais esta pequena cidade em Brandemburgo, 32 km (20 milhas) ao sul de Berlim, abrigava um importante campo de treinamento militar e, durante os anos 1930, uma grande sede subterrânea e o centro de comando dos mais altos oficiais da Wehrmacht foram construídos lá. Hitler provavelmente usara a frase para resumir os instintos burocráticos e a inércia desprezível de seus generais, mas Halder se perguntou se o furioso Hitler havia deixado escapar, inconscientemente, que já suspeitava de que os funcionários da Zossen sabiam, falavam e estavam fazendo algo a respeito de matá-lo. Halder ficou surpreso com o pensamento. Naquele momento ele se imaginou como vítima do próximo expurgo do SS e desistiu de toda ideia de liderar ou facilitar qualquer ato de resistência.

Pendurando o Führer na linha Siegfried

Depois de 5 de novembro, a oposição de Halder a Hitler se limitou a argumentar por adiamentos adicionais da Operação Amarelo, enquanto Oster e Canaris pareciam ter entendido que sua melhor aposta agora era jogar um jogo mais longo e esperar por más notícias no futuro. O ódio de Oster pelo hitlerismo o levou a começar a passar informações ao inimigo, mas a partir de 1940, tanto ele quanto Canaris pareciam ter se comprometido com seus deveres, dando menos atenção à conspiração ativa. No entanto, ainda havia outros comandantes que estavam dispostos a tentar fazer algo sobre Hitler por sua própria iniciativa.

O general Kurt von Hammerstein-Equord foi outro general alemão que não tinha afeição pelos nazistas. Hammerstein tinha sido leal à República de Weimar ao longo dos 14 anos de existência e no que lhe dizia respeito era um governo legalmente constituído e, portanto, merecia sua obediência. Ele se interessou pouco pelos partidos radicais extremistas que se agitaram na Alemanha nos anos imediatamente posteriores à Primeira Guerra Mundial. Depois de fazer o seu caminho através dos altos escalões graças ao seu planejamento inteligente, fez o melhor uso possível das forças de defesa limitadas que a Alemanha estava autorizada a possuir sob o Tratado de Versalhes, Hammerstein tornou-se Comandante Chefe da Wehrmacht em 1930. Ele não tinha afeição por Hitler e seus nazistas e repetidamente aconselhou o presidente Hindenburg a ter muito cuidado ao nomear o demagogo austríaco a qualquer ministério no governo. Quando Hitler se tornou chanceler, foi necessário renunciar ao seu posto.

Hindenburg protegeu Hammerstein da ira de Hitler na limpeza de junho de 1934, ou Noite das Facas Longas. Hammerstein havia, de fato, alertado anteriormente o antigo presidente do próximo banho de sangue. Ele foi poupado, mas seu velho amigo, o general von Schleicher foi assassinado no expurgo, assim como a esposa de Schleicher. Oficiais do exército foram proibidos de comparecer ao funeral de Schleicher por ordem do novo chanceler, mas Hammerstein fez questão de aparecer na cerimônia. Foi fisicamente escoltado pelo SS. Após cinco anos de licença, Hammerstein foi brevemente reativado durante a invasão da Polônia e recebeu comando temporário do Grupo A do Exército no trecho "holandês" do norte da Westwall. Em várias ocasiões, Hammerstein convidou o Führer para inspecionar suas tropas. Seria bom para o moral deles, disse ele, pois muitos deles sentiam que estavam perdendo a chance de ganhar glória no Oriente. E uma visita do Führer ao setor holandês deixaria os Aliados perplexos e preocupados.

Hitler suspeitava porque Hammerstein nunca fora um de seus admiradores. De fato, Hammerstein confidenciou a seu colega aposentado General Ludwig Beck que queria vingança pela morte dos Schleichers. Se Hitler aceitasse o convite para visitar suas tropas no oeste, ele poderia muito bem se encontrar com um trágico acidente, provavelmente envolvendo uma granada ativada em um bunker de concreto que passasse a inspecionar. Mas a cautela natural de Hitler o salvou mais uma vez. O Führer estava ocupado demais para visitar as tropas em uma posição numa frente tranquila, mas ele encontrou tempo para transferir Hammerstein para um cargo rebaixado na Silésia e rapidamente o colocou de volta na lista de aposentados.

Kurt von Hammerstein-Equord morreu de câncer em abril de 1943. Em seu leito de morte, instruiu sua família a recusar a oferta de um funeral oficial, que era um dever a um oficial de sua patente. Ele não queria que seu caixão fosse envolto na atual bandeira nacional alemã, que tinha uma suástica negra em seu núcleo. E em seu funeral particular, sua família não exibiu a coroa que chegou do escritório do Führer.

Tempos desesperadores

Erich Kordt acreditava que tempos desesperadores pediam por ações desesperadas. Kordt era um anglófilo que estudou em Oxford e era um diplomata servindo na Embaixada da Alemanha em Londres. Como muitos alemães instruídos, privadamente detestava os nazistas, mas achou conveniente ingressar no partido em 1937 para salvar sua carreira. Em 1938, estava trabalhando em Berlim e estava muito ciente de que o grupo Oster-Canaris esperava depor Hitler após um fiasco tcheco. Através de seu irmão Theodor, que também era funcionário da embaixada em Londres, pressionou os britânicos a tomar uma posição desafiadora contra Hitler sobre a questão de Sudetenland. Como Oster e seus confederados, foi desmoralizado pela rendição de Chamberlain em Munique, que havia condenado a Tchecoslováquia e aumentado ainda mais as ações de Hitler na Alemanha. As óbvias fontes de potencial oposição a Hitler - os Social-Democratas, o KPD e os dissidentes no NSDAP - há muito haviam evaporado e uma tentativa bem organizada de golpe em Berlim fracassara. Britânicos e franceses não eram confiáveis e até Stalin tinha assinado um acordo com os nazistas. Ninguém parecia capaz ou disposto a fazer algo sobre o agressor austríaco.

Missão suicida

No domingo 3 de setembro, a Grã-Bretanha finalmente declarou, com relutância, guerra à Alemanha. Naquele dia, Kordt estava muito envolvido em discutir as ramificações diplomáticas das notícias de Londres com colegas consternados. Em todas as reuniões privadas, as mesmas perguntas surgiam: 'Existe alguma maneira de parar esta guerra? Alguém pode parar Hitler?'. Ocorreu a Kordt que estava em melhor posição do que a maioria por obter uma resposta. Seu cargo atual como chefe da Repartição Ministerial do Ministério das Relações Exteriores da Alemanha o levava para dentro da Chancelaria do Reich diariamente. Mas o acesso ao Führer enquanto estava em Berlim era altamente restrito devido à crise de guerra. Os SS estavam revistando todos que tinham negócios com Hitler, barrar os membros mais graduados do governo, atirando nele com uma pistola estava fora de questão.

Outra solução surgiu de uma discussão com Hans Oster. Uma bolsa anexada que contivesse explosivos poderia passar se fosse esclarecido aos guardas que continha documentos diplomáticos ultrassensíveis apenas para os olhos do Führer. Kordt estava disposto a correr o risco, mas ele sabia que para matar Hitler teria que detonar a bomba o mais perto possível. Ambos os homens morreriam no que era uma certa missão suicida. Oster prometeu fornecer explosivos do arsenal de Abwehr em 11 de novembro, mas ele não conseguiu manter a promessa. O aumento do estado de tensão fez com que o anteriormente fácil acesso aos explosivos que os agentes da Abwehr desfrutavam estivesse sendo examinado com mais cuidado pela Gestapo. Portanto, Kordt não era obrigado a fazer um último sacrifício. Hitler também não.

CAPÍTULO 14

23 de junho 1940
Um austríaco em Paris

Pouco antes do amanhecer, em 23 de junho de 1940, o avião de Adolf Hitler pousou no aeroporto em Le Bourget. Hitler estava prestes a fazer sua primeira e única viagem à capital francesa conquistada. O frustrado artista e arquiteto de Linz tinha ido explorar uma cidade que sempre sonhara em visitar. Ele não estava lá como um César que conquista tudo em triunfo, mas como um esteta adorador. A presença dele em Paris estava envolta em segredo. Ele seguiu seu itinerário em um pequeno comboio de três carros de passeio Mercedes pretos, com segurança relativamente leve. Seus companheiros não eram seus generais ou potentados nazistas, mas outros amantes da arte, ou pelo menos amantes da arte que compartilhavam seus gostos conservadores; Arno Breker, o escultor neoclássico, e seus arquitetos favoritos Albert Speer e Hermann Giesler. Os turistas foram fotografados na Torre Eiffel, mas a maior parte do tempo na cidade era dedicada a quatro edifícios que Hitler há muito admirava e estudava em profundidade: o extravagante Palais Garnier, a casa de ópera de Paris, que Hitler pensou ser 'o teatro mais bonito do mundo'; a igreja de Maria Madalena, a Madeleine, e o Panthéon, os quais ele achava serem reencarnações sublimes de valores arquitetônicos romanos antigos; e o Hôtel des Invalides, que abrigava o túmulo monumental de Napoleão Bonaparte.

Nesta última parada, Hitler insistiu em ser deixado sozinho enquanto permanecia parado por alguns minutos diante do imponente sarcófago do ditador francês. Depois, pediu ao ajudante para lembrá-lo de organizar a transferência dos restos mortais do filho de Napoleão, François, de Viena, para descansar ao lado seu ilustre pai. A breve turnê terminou no alto da vila artística de Montmartre, onde o Führer refletiu sobre sua decisão de proteger Paris dos rigores completos da guerra moderna. Ele não queria ser lembrado como o vândalo que demoliu *La Ville Lumière* e seus generais haviam obedecido seus desejos. Mas, deste ângulo elevado, havia muito sobre a cidade que era claramente confuso e artisticamente decepcionante. Paris se beneficiaria claramente de uma dose de ordem teutônica no devido tempo. Seus arquitetos concordaram. Ao meio-dia, Hitler estava de volta ao Desfiladeiro do Lobo, sua sede de campo em Brûly-de-Pesche nas florestas das Ardenas. Durante o jantar, expressou sua crença de que Speer transformaria Berlim em uma cidade tão impressionante que Paris seria uma mera sombra em comparação. No entanto, ele esperava voltar para Paris num futuro próximo. Aqueles na comitiva de Hitler imaginaram que ele estivesse referindo-se ao esperado desfile de vitórias ao longo da Avenida Champs-Élysées e através do Arco do Triunfo.

O desfile da vitória

O Führer havia participado de um magnífico desfile de vitória em Varsóvia no outono, em 5 de outubro. Ele também fez questão de comparecer ao desfile das forças armadas em Memel, quando voltou ao Reich, em março de 1939. Era esperado, portanto, que as tropas alemãs comemorassem sua surpreendente vitória sobre a França marchando por Paris. Nenhuma outra cidade da Europa, nem mesmo Berlim, ofereceu um cenário tão excepcional para um triunfo no antigo modelo romano. Vários comandantes seniores haviam começado a mover unidades próximas à cidade para facilitar a logística do que se esperava ser uma demonstração espetacular do poderio militar alemão. A data do desfile de Paris foi marcada para 27 de julho.

Vários oficiais alemães se interessaram particularmente pelos planos da parada. Em 1940, Erwin von Witzleben comandou o 1º Exército Alemão, que rompeu a Linha Maginot 'inexpugnável' em 14 de junho. Sua recompensa foi a Cruz do Cavaleiro, a maior medalha militar no Terceiro Reich. Ele também foi promovido ao posto de Marechal de Campo. No entanto, Witzleben criticava Hitler e simpatizava com os objetivos dos conspiradores de Oster-Canaris. Sabia do plano de Hammerstein-Equord de "convidar" Hitler para o Westwall, mas não disse nada sobre isso nem fez nada para evitá-lo. Witzleben parece ter sido o escudo em uma conspiração para atirar em Hitler em Paris enquanto ele revisava o desfile da vitória. O assassino provavelmente seria o conde Fritz-Dietlof von

23 DE JUNHO DE 1940: UM AUSTRÍACO EM PARIS

Erwin von Witzleben foi um oficial sênior que exigiu uma investigação sobre as mortes de Schleicher e seu amigo Ferdinand von Bredow durante a Noite do Facas Longas, um pedido que irritou os nazistas.

der Schulenberg, um funcionário do governo que havia sido expulso do partido nazista no início de 1940. Ele foi considerado um defensor sem entusiasmo dos objetivos do partido e, portanto, uma pessoa não confiável. Para demonstrar seu patriotismo, se ofereceu instantaneamente para o serviço militar. Embora baseado em Potsdam, calculou que, no caos de uma França desorganizada, poderia fazer seu caminho de forma uniforme em Paris no período de 27 de julho.

Acerto de contas

Dois dias antes da breve viagem de Hitler a Paris, os representantes da França haviam capitulado e assinado um acordo de armistício no mesmo vagão onde os Aliados haviam dominado os exaustos alemães, em 1918. Sob a ordem de Hitler, o vagão da "vitória" do marechal Foch foi levado de seu museu para o local onde a Grande Guerra havia terminado. Hitler sentou-se em silêncio no assento de Foch e fez uma breve saudação nazista quando os oficiais franceses entraram. Doze minutos depois, ele saiu sem falar nada, uma vez lido o preâmbulo do Armistício pelo General Keitel. Não havia bravata e nem humilhação da delegação francesa. Hitler agiu com decoro frio. Foi o suficiente para ele, que a vergonha de novembro de 1918 havia finalmente sido equilibrada. A República Francesa já havia sido humilhada o suficiente no campo de batalha.

Em apenas 46 dias, a Wehrmacht alcançou a esmagadora vitória que iludiu o antigo exército imperial por mais de quatro anos. As caras fortificações francesas foram contornadas e seus exércitos cercados enquanto os franceses resolveram evaporar em todos os níveis. Os franceses haviam sofrido quase 400.000 mortos, desaparecidos em ação ou feridos. Mais de um milhão e meio de homens das tropas francesas haviam sido capturados e muitos já estavam a caminho dos campos de trabalho no Reich. Quanto aos britânicos, chegaram bem preparados e prontos para combater a guerra antecipada, mas foram literalmente jogados de volta ao mar. A Alemanha havia sofrido baixas inesperadamente leves, um fato que se mostrou muito bom em casa, na pátria.

O charme ofensivo

Mestre da Europa, da fronteira soviética ao Atlântico, Hitler estava de bom humor para reconciliação. Não havia nada a ganhar com a punição dos franceses, uma nação derrotada. Hitler queria convencer os franceses de que eles seriam parceiros respeitados numa futura Europa fascista. Judeus e comunistas foram excluídos dessa oferta. Tropas alemãs na França foram estritamente advertidas a se comportar e não decepcionar o Führer. Não haveria saques, nem assédio moral e as mulheres francesas seriam tratadas com respeito. Em geral, as tropas alemãs que chegaram a Paris naquele verão se comportaram bem, ficaram felizes por ter sobrevivido à campanha e adoraram as aulas de serviço de bufê franceses, pagando pelas bebidas e refeições que pediam. Muitos falavam um francês impecável e estavam realmente interessados em explorar a cultura, a história e a culinária local. Filmes de propaganda alemã destacaram as tropas da Wehrmacht distribuindo água e suprimentos para refugiados retidos nas estradas bloqueadas, ajudando-os a voltar para suas casas. Cartazes com o título 'Confie no soldado alemão!' mostravam soldados arianos sorridentes alimentando vacas abandonadas. E havia pouca necessidade de esforço para os combatentes inteligentes, jovens, bonitos e francófonos para encantar as mulheres locais. A ofensiva de charme de Hitler garantiu uma atmosfera mais calma do que a esperada em Paris, pelo menos durante as primeiras semanas de ocupação.

O desfile de improviso

O desejo de Hitler de conquistar o povo francês provavelmente explica por que não houve nenhum grande desfile da vitória pelo centro de Paris em 27 de julho de 1940. Para Hitler, a batalha da França já era histórica. Ele estava interessado em pacificar os franceses, não os irritar. Ao visitar os campos de batalha da Grande Guerra na Flandres e Artois, nos dias 25 e 26 de junho, cuidou de seus comentários para tratar os franceses e alemães mortos com respeito. Ao ouvir uma parada da vitória planejada em Paris, Hitler a cancelou instantaneamente. Não haveria triunfalismo. Então, não havia razão agora para Schulenberg ou qualquer outro assassino emergente na França agir naquele verão. No entanto, algumas tropas alemãs marcharam ao longo do Champs-Élysées em junho de 1940. Unidades da 30ª Divisão de Infantaria comandada por Kurt von Briesen entraram em Paris em 14 de junho e acharam isso indefeso, então, eles encenaram um 'desfile' improvisado pela cidade a caminho do sul e adiante. Um pequeno pedaço de filme foi feito com os homens de Briesen e foi mostrado repetidamente em todo o mundo. Foi a única filmagem que Joseph Goebbels, muito frustrado, teve do momento histórico de quando o Führer capturou Paris.

No verão seguinte, o general Witzleben tentou novamente, desta vez pegando uma página do livro de conspirações de Hammerstein-Equord. Como a maioria dos oficiais de sua patente, Witzleben sabia que a guerra muito temida e invencível no Oriente não estava muito longe. Só poderia ser parada matando Hitler. Ele, portanto, convidou Hitler para fazer a saudação em um desfile que estava planejando para 21 de maio de 1941. Seria bom para o moral das tropas estacionadas no norte da França, e daria aos parisienses amigáveis a chance de ver o homem que os salvara do bolchevismo e dos judeus. Nesse estágio, Hitler, provavelmente, estava tão cauteloso quanto a Witzleben como fora com Hammerstein dois anos antes.

Mesmo que Hitler confiasse nele, estava ocupado demais para participar do desfile de soldados. Durante maio de 1941, Hitler estava trabalhando com o general Jodl e seus funcionários sobre os detalhes da Operação Barbarossa, o ataque surpresa à União Soviética que, esperançosamente, começaria em algum momento em meados de junho. E depois de 10 de maio, ele perdeu tempo e teve que desperdiçar energia para minimizar os danos causados por seu acólito de longa data, Rudolf Hess, que decolou em uma bizarra missão "diplomática" na Escócia. Seu outro projeto naquele mês foi uma invasão aérea em Creta, programada para 20 de maio. Começou muito mal, embora a hesitação britânica e as más comunicações lhe tenham salvado mais uma vez a vida. Hitler tinha mais com que se preocupar do que participar de outro desfile interminável e se perguntou por que Witzleben estava tão subitamente interessado em sua presença, por fim, ficou em Berlim.

CAPÍTULO 15

1941-43
Conspirando nas estradas para Moscou

Ao amanhecer de 4 de agosto de 1941, um Focke-Wulf Condor pousou em uma pequena pista no noroeste da Bielorrússia. O avião era Immelmann III, um Fw-200 Condor especialmente adaptado, registrado como D-2600, que o piloto Hans Baur havia recomendado ao Führer em 1937. Tinha uma autonomia muito maior que seu Junkers 52 e, com quatro motores, era mais seguro e mais capaz de levar um pesado revestimento de blindagem que protegia o espaço pessoal da cabine do Führer. Na beira da pista, um pequeno comboio de carros blindados esperava para transladar Hitler ao seu destino, a histórica cidade de Borisov, que atualmente abrigava a sede do Centro de Grupos do Exército da Wehrmacht. Borisov foi onde boa parte do Grande Exército de Napoleão, em fuga, foi massacrada em 1812, enquanto tentava recuar através do rio Berezina. Agora era a base temporária de um grupo de oficiais alemães muito zangados.

Vitória no Oriente!

Seis semanas antes, em 22 de junho, a maior força invasora da história tinha lançado seu ataque surpresa à União Soviética. Mais de três milhões de homens entre tropas alemãs, finlandesas, húngaras, romenas e eslovacas participaram da Operação Barbarossa. O Grupo do Exército Alemão do Norte abriu caminho pelos estados bálticos em direção a Leningrado, enquanto o Grupo do Exército Sul se dirigia profundamente pela Ucrânia, em direção a Kiev e Kharkov. A meta do Army Group Center (AGC) sob o comando do General von Bock era a capital russa. Em 18 dias,

CAPÍTULO 15

O AGC havia avançado mais de 640 Km (400 milhas) de distância no território soviético e estava prestes a atacar Smolensk, a última grande cidade que ficava do outro lado da estrada principal para Moscou, de oeste para leste. Em 16 de julho, e apesar da desesperada resistência soviética, tropas alemãs assumiram o controle do centro de Smolensk. Algumas das unidades de elite avançadas de Bock avançaram e agora estavam a menos de 385 km (240 milhas) de Moscou. Parecia bem provável que o exército alemão estivesse em Moscou, diante das árvores de tílias e castanheiros que ladeavam as ruas da cidade nos tempos soviéticos, antes que eles começassem a derramar suas folhas avermelhadas.

Ordens de Hitler

Em 19 de julho, Hitler assinou a Diretiva 33, o que desviou muitas das unidades blindadas do AGC para os fronts norte e sul. O AGC foi despido da maioria de seus tanques e, qualquer avanço adicional em Moscou teria que ser realizado pela infantaria relativamente sem suporte. A Diretiva 34, datada de 30 de julho, ordenava que o AGC parasse seu avanço em Moscou e mantivesse sua linha no centro. O olhar de Hitler mudou da Praça Vermelha para os campos de carvão da Bacia de Donets, na Ucrânia, e para os campos de petróleo de Baku, no Cáucaso. Cortar os principais recursos da Rússia agora era a prioridade de Hitler. Fazia sentido estratégico. Havia também um bom argumento tático para retardar o avanço em Moscou. O profundo avanço do AGC no território da URSS fora espetacular, mas também rápido e inesperado, então, havia um perigo do AGC se prolongar demais, com o inevitável problema de suprimento. Se avançasse muito longe para leste, rapidamente, arriscaria criar um abaulamento saliente na linha alemã que poderia ser explorada pelo Exército Vermelho.

Esses não foram argumentos que convenceram os comandantes frustrados em Borisov ou seu superior militar em Berlim, o general Franz Halder, o Chefe do Alto Comando Alemão. Os oficiais dissidentes apontaram para a importância simbólica e logística de Moscou. A capital era o coração emocional da Rússia e o centro da rede ferroviária altamente centralizada do país. Perder a cidade desmoralizaria o povo russo e dispersaria seu governo por várias cidades e povoados regionais amplamente espalhados. Ocupar Moscou também daria à Wehrmacht a capacidade de atacar em todas as direções do Exército Vermelho que seria marginalizado e estendido na periferia. Mas, adiar e enfraquecer o ataque a Moscou só daria aos soviéticos tempo para se recuperarem e reagruparem-se. O Führer apreciou a importância deste desacordo e planejou viajar para Borisov para explicar sua decisão pessoalmente e garantir que suas ordens fossem, de fato, compreendidas e executadas.

1941-43: CONSPIRANDO NAS ESTRADAS PARA MOSCOU

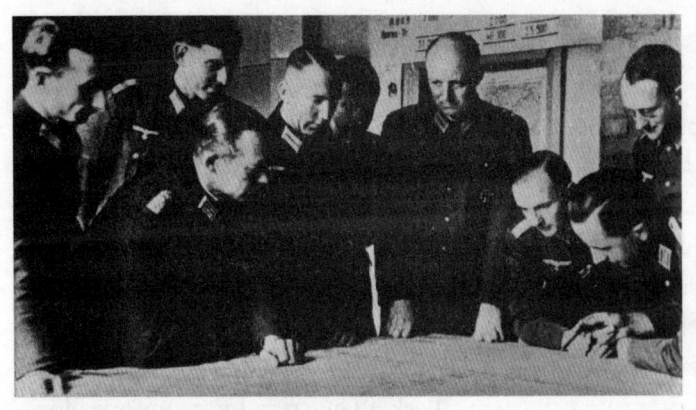

Uma reunião estratégica de oficiais do exército durante 1940 incluindo Henning von Tresckow (quarto à direita) e Fabian von Schlabrendorff (à direita, de óculos).

Nenhum santo, mas não nazista

O major-general Henning von Tresckow era um herói condecorado da Grande Guerra e um homem inteligente, de uma família prussiana de linhagem impecável e de renome militar. Após a guerra, ele viajou extensivamente, trabalhando como banqueiro internacional. Ele falava bem várias línguas, entendia e apreciava outras culturas. Eventualmente, retornando ao exército, se formou na Academia do Estado Maior como o melhor aluno de seu ano, em 1936. No entanto, mesmo quando as frenéticas multidões espalhavam flores aos pés do Führer, nos anos dourados de 1938 a 1941, Tresckow nunca se inscreveu no Projeto Hitler. Profundo conhecedor da história e estratégia militar, estava convencido de que a Alemanha não possuía os recursos materiais para manter uma guerra prolongada contra numerosos inimigos.

Tresckow era um soldado e oficial eficaz e, portanto, implacável, e não era santo. No entanto, ele ficou horrorizado com as atrocidades cometidas pelo SS Einsatzgruppen contra as populações civis da Polônia e Rússia ocupadas, e a eliminação de milhares de prisioneiros de guerra soviéticos. Como outros homens de sua formação e experiência, acreditava que quanto mais cedo Hitler fosse destituído, melhor para a Alemanha. Um desses co-crentes era o ajudante de Tresckow, Fabian von Schlabrendorff, também um aristocrata. Schlabrendorff já tinha agido como um canal de comunicação entre Tresckow e outros bem posicionados oposicionistas como Hans Oster e Witzleben. Os dois homens perceberam que a jornada de Hitler para Borisov oferecia uma oportunidade de agir de acordo com seus princípios e resolveram atirar no Führer em algum momento de sua visita. Eles, simplesmente, prestariam atenção à chegada de Hitler, retirariam com calma suas pistolas e atirariam nele. Um deles certamente o acertaria.

CAPÍTULO 15

O cauteloso senhor da guerra

Eles consideraram a cautela natural de Hitler. Ele recusou a oferta de um carro do estado-maior para recebê-lo na pista de pouso e transportá-lo duas milhas ou mais para a sede do AGC: tinha pouca confiança na segurança da Wehrmacht e temia uma bomba. Em vez disso, Himmler recebeu ordem de fornecer uma proteção substancial do SS na pista de pouso e garantir que um veículo totalmente verificado estivesse esperando por ele na pista. Tresckow e Schlabrendorff estavam armados e prontos para se desfazer do Führer, mas eles mal viram quando ele rapidamente entrou no QG, cercado por todos os lados por seus guardas vestidos de preto. Somente os generais Beck e Guderian foram autorizados a entrar na sala para encontrar o Führer. Até o major-general Tresckow, mais graduado, foi barrado pelo SS. Hitler partiu tão rápido, tão furtivamente e tão seguro quanto havia chegado. Tresckow ficou desapontado, mas não desanimado. Haveria outras oportunidades para matar Hitler, mas obviamente seria necessária uma estratégia mais desonesta. Tresckow e Schlabrendorff teriam que esperar 20 meses por uma segunda chance de executar Hitler, mas quando chegasse, estariam melhor preparados.

Conspirações em todas as frentes

Ficou claro para Tresckow que Hitler havia entendido perfeitamente que existiam muitos inimigos dentro da Wehrmacht e que sempre teria que estar em alerta quando em território do exército. Tresckow estava certo. No final de 1941, Hitler estava muito ciente de que os escalões superiores dos militares estavam abastecidos com homens que não apenas discordavam de seus planos e decisões: muitos oficiais tinham razões pessoais, políticas e/ou estratégicas para odiá-lo. No início de dezembro, Hitler visitou o QG do Army Group South (AGS), em Zhdanov, agora Mariupol, no mar de Azov. Hitler estava visivelmente desconfortável ao longo de todo seu tempo lá. Algo em Zhdanov não parecia certo e o forte senso de autopreservação de Hitler entrou em ação mais uma vez. Ele estava certo em suspeitar. Alguns dos oficiais do AGS planejavam acabar com ele e sua guerra miserável. Generais Lanz e Speidel e o comandante de tanques sênior do Grupo, Coronel Graf von Strachwitz, tiveram a mesma ideia que seus colegas mais ao norte, em Smolensk. Eles planejavam agir quando Hitler visitasse a sede do AGS no início de março de 1943, então em Poltava, no centro da Ucrânia. No caso, Hitler decidiu voar para o sul, mais perto do front, perto de Zaporizhia, no rio Dnieper, e assim desviou da bala mais uma vez. Era um sinal de que Hitler não confiava mais em seus oficiais. Decolando de Zhdanov em dezembro de 1941, ele confidenciou a seu criado Heinz Linge: "Fico feliz que você esteja sentado atrás de mim, Linge, ao invés de algum Gruppenführer que atiraria em mim pelas costas".

Cansado e enfraquecido

Avistado no céu claro acima de Smolensk, em 13 de março de 1943, chegando as terras do sul, havia três grandes Condors guardados por um destacamento beligerante da Messerschmitt 109. Estando perto do front, uma cobertura aérea foi definitivamente necessária: no final de 1942, os combatentes soviéticos haviam chegado perto o suficiente para deixar alguns buracos na asa do avião de Hitler. Na pista de Smolensk, Hitler e seus assessores emergiram do primeiro Condor enquanto os outros dois aviões descarregavam o esquadrão de segurança privada: homens SS Leibstandarte carregando metralhadoras. Os velhos tempos de segurança leve ao redor do Führer haviam desaparecido há muito tempo, assim como o ar de invencibilidade que ele uma vez irradiava. A Alemanha estava em guerra com a URSS por quase 21 meses e a euforia do verão de 1941, há muito tempo, havia evaporado. O sonho de um passeio de outono pelos jardins Tainitski, no Kremlin, desapareceu. Moscou não caíra no primeiro outono, nem no segundo, e o esgotado Afrika Korps estava agora escondido na Tunísia, a apenas algumas semanas de distância da rendição inevitável. Preparativos maciços estavam em andamento para a invasão Aliada da Itália, a Alemanha havia perdido um exército em Stalingrado e Hitler tinha perdido grande parte de sua credibilidade como um invencível senhor da guerra. Era um castigo, um envelhecido e cansado Führer desceu para a pista no QG do AGC.

O Führer "bunkerizado"

Hitler estava voltando de Werwolf, a mais oriental e isolada das bases que ele realmente usou, bem dentro da Ucrânia, perto da cidade de Vinnytsia, no rio Bug. Seu destino de voo era Wolfsschanze, Wolf's Lair, sua principal sede, no front oriental, perto de Rastenburg, na Prússia Oriental. Dos primeiros dias da Operação Barbarossa, em junho de 1941, até novembro de 1944, esta tinha sido, efetivamente, a casa de Hitler. Ele raramente era visto em público agora na Alemanha e seus períodos em Berghof eram menores e frequentemente forçados por seus médicos. Muitos de seus deveres públicos na Pátria foram assumidos

CAPÍTULO 15

por Goebbels, enquanto a maioria de suas horas de vigília eram passadas no subsolo, em bunkers de concreto ao longo do front. A breve parada em Smolensk foi organizada para dar a Hitler uma oportunidade de se encontrar em particular com o marechal-de-campo von Kluge. Ele substituiu Bock como comandante do Army Group Center após a falha de Bock em capturar Moscou, no final de 1941. Na agenda estava a Operação Zitadelle, uma enorme contraofensiva de tanques alemãs na crucial e importante Kursk. Tinha sido planejada para maio, mas já estava atrasada. O evento, foi lançado em julho.

Hitler conheceu Kluge e Tresckow quando ele desceu para a pista, mas mais uma vez foi cercado por guardas do SS alertas e fortemente armados. Kluge ofereceu seu carro pessoal para o Führer para a transferência curta para seu QG e novamente a oferta foi recusada. O motorista de confiança de Hitler, Erich Kempka, havia dirigido com um carro seguro pelo caminho da Alemanha para Smolensk, apenas para transportar seu chefe nos poucos quilômetros da pista de pouso e de volta. Na sede do AGC, Kluge e Hitler se encontraram em segredo. Kluge expressou suas preocupações com os preparativos para a ofensiva de Kursk, mas Hitler as dispensou. Os dois homens fizeram uma refeição com um pequeno grupo de amigos de Kluge, colegas seniores e companheiros de Hitler: vários funcionários, seus funcionários adjuntos, uma secretária, o fotógrafo oficial e seu médico preferido no momento, o obeso e sinistro Dr. Morell. Após o almoço, todos partiram para a pista de aterrissagem, onde Hitler embarcou em seu avião e partiu novamente para Rastenburg. Somente uma coisa estava diferente agora. Havia uma bomba poderosa no avião de Hitler, programada para explodir 30 minutos após a decolagem, quando o Führer estivesse em algum lugar da antiga cidade polonesa de Minsk.

Bala ou bomba?

Tresckow e Schlabrendorff souberam da breve parada de Hitler em Smolensk antecipadamente. Eles estavam pensando em como utilizar a oportunidade da melhor forma possível. Havia pouco sentido em tentar atirar em Hitler quando entrasse ou deixasse o prédio da sede do AGC, ou quando almoçasse com Kluge. Ele estaria muito bem guardado. Kluge também poderia ser atingido por tiros e este seria necessário para acalmar o exército quando as notícias chegassem. Foi possível posicionar experientes fuzileiros "confiáveis" em vários pontos entre a pista de pouso e o QG, mas havia um perigo distinto de que eles se envolvessem em um tiroteio com os guardas do SS. E um banho de sangue poderia desencadear conflitos semelhantes entre Tropas da Wehrmacht e o SS ao longo do front. De qualquer forma, era possível que Kempka, que entendia do antigo medo de emboscadas de Hitler, seguisse uma rota inesperada e evitasse os atiradores em espera.

Uma bomba tinha várias vantagens sobre a bala, especialmente uma detonada longe do QG do AGC. Se o avião de Hitler caísse como resultado da explosão de uma bomba, isso tomaria um tempo para encontrar os destroços, examiná-los e estabelecer a real causa do 'acidente'. Além disso, um período razoavelmente longo poderia decorrer antes que a identidade dos autores da trama fosse descoberta. Esses possíveis atrasos e um choque público que seria gerado pela morte súbita do Führer poderiam, esperançosamente, criar uma atmosfera que incentivasse a queda do regime e o fim da guerra. A dificuldade estava em colocar a bomba no avião de Hitler.

Obrigado, Camarada

Tresckow e Schlabrendorff haviam pensado muito no problema e tinham criado uma solução possível, mas altamente arriscada. No dia, eles teriam que realizar seu plano com perfeição. No almoço, o major-general von Tresckow casualmente conversou com um dos oficiais da equipe de Hitler, o coronel Heinz Brandt. Poderia Brandt fazer-lhe um pequeno favor, ele perguntou. Ele tinha duas garrafas de conhaque de qualidade. Elas eram para um amigo no QG do Alto Comando, o major-general Hellmuth Stieff e eram, em parte, um presente e, em parte, um pagamento de uma pequena aposta perdida. Poderia Brandt passá-las ao ajudante de Stieff em seu nome? Ele não queria enviá-las por meio dos canais normais, pois levariam semanas para chegar lá, se não fossem roubadas ou esmagadas em trânsito. É claro que Brandt ficou feliz em ajudar um oficial sênior. Como ele embarcou no avião para a Prússia Oriental, o tenente Schlabrendorff deu um passo à frente, entregou as garrafas embaladas sob sua segura custódia e passou os cumprimentos de Tresckow agradecido pela ajuda.

Conhaque com força total

O trabalho de suprir um explosivo adequado havia sido assumido por um dos amigos de Tresckow, Rudolf Christoph von Gersdorff, um aristocrata e oficial da Abwehr dentro do Army Group Center. Em 1943, os procedimentos para requisição de explosivos das revistas Wehrmacht e Abwehr foram reforçados e agora eles deveriam ser monitorados pela Gestapo. Felizmente, Gersdorff

CAPÍTULO 15

soube que o Abwehr também armazenava uma quantidade de explosivo plástico britânico conhecido como Composição C, que era frequentemente usado por agentes SOE britânicos ou fornecido por grupos partidários na Europa, lançados por paraquedas. Parecia perfeitamente razoável que um oficial de inteligência envolvido em atividades contra partidárias manifestasse interesse em uma arma inimiga. Gersdorff pôde, portanto, construir um pequeno suprimento de 'plástico C' e aprendeu a respeitar seu excepcional poder explosivo. Em uma demonstração organizada para Gersdorff e para alguns jovens oficiais da Abwehr, uma quantidade muito pequena explodiu a torre de um tanque soviético abandonado. Isto certamente seria forte o suficiente para destruir os painéis de aço que defendiam Hitler do ataque inimigo no ar.

Os toques finais

A detonação da bomba dependia de um tubo fino que continha uma solução de cloreto de cobre, que reagiria e corroeria um pedaço fino de fio de alumínio que impedia o pino de disparo de empurrar para baixo a tampa de percussão. Isso deu aos bombardeiros duas vantagens cruciais. O cloreto de cobre demoraria um pouco de tempo para dissolver o fio, então, Hitler estaria a muitos milhares de pés no ar antes que o trabalho fosse concluído. E essa abordagem química de detonação era silenciosa e inodora. Não havia necessidade de um mecanismo de relógio barulhento e sem o cheiro de fusível de combustão lenta. A composição C foi, cuidadosamente, modelada para se parecer com garrafas de conhaque e, em seguida, impecavelmente embrulhada em camadas de papel de presente amarrado com cordão colorido.

Schlabrendorff viu o Condor decolar para o norte e voltou para o QG do AGC para aguardar as inevitáveis mensagens de rádio: o avião do Führer estava misteriosamente atrasado. O avião do Führer estava desaparecido, possivelmente abatido por combatentes soviéticos. Em seguida, a confirmação pelos controladores aéreos da Messerschmitt de que o Condor havia explodido no ar a uma grande altitude. Não havia esperança de sobreviventes.

Mas a mensagem que chegou a Smolensk era uma simples linha aterrorizante relatando que Hitler havia pousado com segurança em Rastenburg.

Sangue Frio de Schlabrendorff

Não havia tempo para expressões de decepção ou recriminação. Os conspiradores agora tinham um problema sério. Eles sabiam o tempo todo que, se alguma coisa desse errado, todos os dedos apontariam instantaneamente em suas direções. Os homens do SS que estavam a bordo do avião de Hitler decidiram abrir o pacote? Se sim, neste caso todos os conspiradores eram homens mortos. Por outro lado, se o pacote já estava a caminho do escritório de Stieff e foi aberto, todos os que estavam ligados a ele em breve seriam varridos pelo SS. Seria uma temporada aberta para qualquer oficial da Wehrmacht que fosse remotamente suspeito de conspiração ou de tendências oposicionistas. Demonstrando grande presença de espírito, Schlabrendorff rapidamente telefonou para o escritório de Brandt e pediu desculpas profusamente por entregar o presente errado ao coronel. Seu chefe estava furioso com ele. Schlabrendorff deveria voar até Rastenburg num voo de carreira até o final do dia. Eles poderiam segurar o pacote e ele traria o presente correto com ele?

Uma perícia posterior sugeriu que a solução corrosiva e o plástico explosivo havia sido afetado pela baixa temperatura durante a alta altitude de voo. A versão inicial do plástico C utilizado endureceu a aproximadamente menos 40 graus e a solução cúprica também pode ter congelado. Coronel Brandt obviamente colocou o conhaque no compartimento de bagagem, em vez de levar na cabine aquecida. Outra chance de aniquilar Hitler havia passado, mas o pensamento rápido e a coragem de Schlabrendorff não apenas salvaram as vidas dos conspirados no QG do AGC, se a Gestapo tivesse interrogado os oficiais da resistência em Smolensk, eles, certamente, teriam envolvido todo o quadro de oposição dentro da Wehrmacht.

CAPÍTULO 16

21 de março de 1943
A Exibição de Bombardeiros

O Dia em Memória dos heróis era um destaque no calendário nazista. Desde 1871 um dia especial tinha sido reservado para homenagear aqueles que morreram nas guerras contra a Dinamarca, Áustria e França, que levaram à unificação alemã. Após a Grande Guerra, as enormes perdas da Alemanha também eram lembradas neste dia de luto nacional. Eram momentos de convívio pessoal e tristeza coletiva, e eram, geralmente, de caráter religioso. Eles costumavam ser liderados por sacerdotes e pastores em igrejas, em pátios de igrejas, em parques ou na esquina de uma praça da cidade, onde quer que uma placa ou monumento aos mortos locais tivesse sido erguido. Bandeiras locais e nacionais balançavam a meio mastro.

Tudo isso mudou em 1934, quando *Heldengedenktag* foi nazificado e militarizado. O objetivo do dia não era mais lamentar os mortos, mas saudar a história e a força militar alemãs. Reflexões silenciosas foram substituídas por desfiles impetuosos e bandeiras foram hasteadas a mastro pela ordem. Discursos em eventos locais eram agora realizados por líderes locais do Partido e oficiais militares, e seu conteúdo era especificado pelo Ministério da Propaganda de Goebbels para que fossem enfatizados temas militares e diplomáticos de importância atual. A maioria dos discursos importantes do dia era dado por Hitler em Berlim. Era obrigatório para todos os alemães ouvir a transmissão de rádio ao vivo. Em 1943, um dos compromissos de Hitler neste feriado nacional era falar em uma exposição no Berlin Zeughaus, o antigo arsenal prussiano.

CAPÍTULO 16

Um templo para Marte

O palácio barroco Zeughaus, em Unter den Linden, no coração da cidade, era uma das estruturas mais imponentes de Berlim. Enquanto outros grandes palácios dessa idade comemoravam as artes, o Zeughaus era um santuário para o deus da guerra. Construído por Frederico I, da Prússia, foi criado para refletir seu interesse em armas e parafernália marcial. Tornou-se um museu militar oficial na cidade no período de Bismarck como Chanceler.

No dia dos heróis, em 21 de março de 1943, Hitler estava programado para visitar o Arsenal, faria um breve discurso e depois visitaria uma exposição de armas e insígnias soviéticas capturadas. Em ocasiões semelhantes, o Führer sempre demonstrava um profundo e genuíno interesse em armas estrangeiras, fazendo perguntas detalhadas para seus guias e buscando claramente identificar quaisquer recursos possíveis que pudessem ser adotados pelos fabricantes alemães.

Como a maioria dos objetos expostos havia sido capturada pelo Army Group Center, o coronel Rudolf Christoph Freiherr von Gersdorff foi selecionado para atuar como guia pessoal. Ele se qualificou para o cargo por vários motivos. Um salesiano aristocrata, foi conectado através de seu primeiro casamento à rica família industrial Kramsta e, através de seu segundo, estava conectado à família real prussiana. Ele não era apenas um sujeito adequado para conhecer e conversar com o Führer, mas também era um oficial ativo do AGC, que poderia explicar os contextos do campo de batalha em que o armamento fora utilizado e capturado. Ele também era, é claro, um bom amigo daqueles conspiradores infatigáveis, Tresckow e Schlabrendorff.

O plano de Gersdorff

Os três oficiais do AGC identificaram o Dia dos Heróis como o momento ideal para fazer outra tentativa de eliminar Hitler. Para todos os três homens, a própria perversão de um dia de lembrança sagrada em um dia dos bombardeios militaristas exemplificava o mal no coração do regime nazista. Schlabrendorff comprometeu-se a fornecer um explosivo adequado até 21 de março, enquanto Gersdorff seria o assassino ideal, ele tinha um motivo oficial para fazer parte do grupo interno de Hitler no dia. Gersdorff chegou a Berlim em 19 de março e sob o pretexto de fazer sua lição de casa para seus deveres futuros, visitou o Arsenal para examinar o átrio e a galeria de exposições, buscando identificar locais adequados para a bomba. Ele rapidamente percebeu que, dada a disposição das salas e o nível de segurança ao redor da ocasião, colocar uma bomba em um local indetectável no dia e definir seu cronômetro seria difícil e, provavelmente, ineficaz. Como Erich Kordt quatro anos antes, ele reconheceu que, para ter certeza de matar Hitler, ele teria que carregar a bomba próxima ao Führer, no exato momento da explosão. Gersdorff estava em uma missão suicida.

Dez minutos para a liberdade

Em 20 de março, a Schlabrendorff chegou a Berlim com dois pequenos dispositivos, que provavelmente continham parte do "conhaque" não utilizado oito dias antes. Estes caberiam com facilidade nos bolsos profundos do sobretudo de serviço de Gersdorff. Ele não ficaria deslocado num traje tão pesado e funcional, como o público do Arsenal seria composto em grande parte por oficiais das três forças armadas, a maioria usaria casacos oficiais. Ainda era março, Berlim em tempo de guerra era fria e como muitos museus, o antigo Zeughaus era muito mal aquecido. Os dois amigos discutiram rapidamente a decisão de Gersdorff de se sacrificar pelo bem da Alemanha e, em seguida, examinaram a gama de fusíveis que Schlabrendorff trouxera. Gersdorff selecionou um fusível padrão de dez minutos de um tipo conhecido por sua confiabilidade. Como guia técnico de Hitler para o evento, ele sabia que apenas dez minutos tinham sido alocados para o discurso de abertura do Führer e mais dez minutos para o passeio pela exposição. Isso seria muito menos do que os dois conspiradores haviam esperado, mas Hitler tinha muitos outros compromissos públicos importantes para comparecer naquele dia especial. Gersdorff ajustaria o cronômetro assim que o discurso terminasse e Hitler entrasse na galeria de exposições. Mesmo se houvesse imprevistos, ele teria dez minutos para se aproximar o suficiente do Führer para ter certeza de matá-lo. Seu relógio de pulso lhe diria exatamente quando dar um passo à frente, apertar Hitler firmemente contra seu próprio corpo e explodi-lo em pedaços.

Obrigado, meu amigo

A manhã de Hitler, em 21 de março, foi passada conferindo medalhas da safra atual de grandes heróis germânicos. O pequeno cabo austríaco desfrutava dessas rotinas, mas imensamente dos deveres necessários, como haviam sido uma tarefa do Kaiser. O destaque da manhã foi o prêmio da Cruz do Cavaleiro com as Folhas de Carvalho para seu querido amigo Josef 'Sepp' Dietrich. Ele era um amigo genuinamente próximo do Führer e um dos poucos que podiam falar honestamente sem medo de retaliação. De motorista e guarda-costas, Dietrich havia subido para Oberst- Gruppenführer, a mais alta patente no Waffen-SS paramilitar. O prêmio tinha sido uma recompensa por sua contribuição à recuperação sangrenta de Kharkov no final fevereiro e início de março. Com esse dever agradável cumprido, Hitler partiu pelo que prometia ser uma visita interessante ao museu Zeughaus.

Uma visita turbulenta

Ele chegou ao Zeughaus um pouco depois do meio dia. Sua conversa de dez minutos ultrapassou quatro, mas pelos padrões de Hitler isso era pontualidade e autodisciplina de fato. Talvez, ele estivesse sentindo um calafrio no hall de entrada alto do Palácio. Durante o discurso de Hitler, Gersdorff ficou na entrada da galeria que continha o armamento soviético. Quando Hitler desceu do pequeno pódio e caminhou em sua direção, Gersdorff apertou o cronômetro do dispositivo no bolso do lado esquerdo. Ele assumiu que ativar uma bomba seria o suficiente, já que a explosão de uma inflamaria a outra. Agora havia exatamente dez minutos para chegar perto o suficiente do Führer para tirar a vida de ambos.

Para surpresa de Gersdorff, no entanto, os ajudantes que ladeavam Hitler não conseguiram apresentá-lo como o guia técnico pessoal de Hitler, pronto para responder a qualquer pergunta que ele poderia ter sobre os objetos expostos. O próprio Führer passou direto e através da galeria como se algo já tivesse chamado sua atenção. Ele foi seguido pelo inevitável bando de cortesãos em busca de seu líder. Isto levou Gersdorff a mais de um minuto para avançar até um ponto em que ele poderia tentar chamar a atenção de Hitler para um recurso particularmente interessante. Naquele momento, estava competindo com Göring, que também havia visto algo que achava que fascinaria o Führer. Hitler ignorou os dois. Ele parou, examinou as exposições reunidas na galeria, virou-se e de pronto se preparou para a saída.

Uma atrapalhada frenética

Por razões próprias, ele reduziu sua visita de dez minutos a menos de dois. Os guardas do SS Leibstandarte se adiantaram para impedir que outros seguissem o Führer enquanto ele, apressadamente, se dirigia ao carro que o esperava. Mais uma vez, uma repentina e inesperada mudança de planos havia levado Adolf Hitler para longe do perigo. Gersdorff falhou como outros fizeram. Seu desespero por perder a chance de matar Hitler transformou-se em pânico e horror ao lembrar-se de que em seus bolsos havia explosivos suficientes para explodir a maioria dos objetos expostos na galeria. Os dez minutos de tempo de fusível estavam correndo rápido. Sua sobrevivência deveu-se apenas à proximidade de um dos banheiros do museu, onde um Gersdorff aterrorizado desativou com sucesso o dispositivo no bolso. Ele evitou, por pouco, se tornar a única vítima do explosivo plástico de Schlabrendorff.

Desfile de moda de Hitler

Em 16 de novembro de 1943, Hitler estava programado para participar de um desfile de moda. Na verdade, se esforçou para garantir que estaria presente ao evento ordenando que fosse realizado, não em Berlim, mas no Wolf's Lair, seu bunker no complexo da Prússia Oriental. Hitler não havia subitamente desenvolvido uma paixão pela alta costura. O interesse dele pelas roupas modeladas naquele dia era um assunto crítico para sua reputação e do governo nazista. No final de 1941, a Wehrmacht havia sido surpreendida pelo início do inverno russo mais frio da história. Os veículos congelaram e ficaram presos na neve e no gelo por causa da falta de anticongelante e lubrificantes adequados. Suprimentos de ração para muitas centenas de milhares de cavalos dos quais a Wehrmacht ainda dependia, não alcançaram o front. E tropas em uniformes leves de verão sofreram ferimentos horríveis de congelamento. Um jornalista italiano em Varsóvia descreveu a chegada de homens feridos voltando do front, seus rostos deformados pelo ataque do Inverno Geral. Muitos perderam nariz, orelhas, lábios e pálpebras e alguns também perderam pés, dedos e órgãos genitais, graças ao gelo violento e interminável.

A Wehrmacht havia sido vítima de seu próprio sucesso no início do ano. Em dezembro, o front estava longe da Pátria. Havia pilhas de suprimentos de inverno armazenados para os homens, máquinas e cavalos na Polônia, mas não havia uma maneira fácil de levá-los aos homens em posições distantes na linha de frente. As estradas russas haviam sido lavadas em uma *rasputitsa* ou chuva sazonal inesperadamente úmida, que transformou grande parte do oeste da Rússia em um atoleiro. Além disso, os engenheiros alemães lutaram para adaptar o material circulante alemão para encaixar-se nas bitolas idiossincráticas usadas pelas ferrovias russas. Outra alternativa era lançar suprimentos por via aérea em condições terríveis, o que tinha suas próprias desvantagens. Quedas precisas sinalizariam as posições das unidades alemãs para o inimigo, enquanto quedas imprecisas resultariam em comida e armas sendo levadas pelos guerrilheiros russos.

CAPÍTULO 16

A culpa do Führer

O Ministério da Propaganda de Goebbels tentou dar uma guinada positiva na logística desastrosa que levou a ofensiva oriental a uma parada súbita e trêmula. Os noticiários de cinema alemães retratavam o animado *Kameraden* desfrutando de um gole de aguardente alemã em suas trincheiras nevadas. Mas havia muitas famílias alemãs com homens lutando na Rússia para encobrir o caos. O público alemão estava chocado e zangado com a falta de planejamento de seus líderes e muitos sabiam que o Führer compartilhava boa parte da culpa. Na linguagem moderna, Hitler era um negador de mudança climática. Ele comparava os cientistas meteorológicos aos fraudulentos alquimistas e astrólogos de épocas anteriores, zombando abertamente dos oficiais da Wehrmacht que levavam em consideração as condições climáticas ao planejar sua campanha estratégica. Como resultado de seu desprezo por 'aquela multidão em Zossen', ele não ouviu seus pedidos de mais atenção às necessidades do exército se a guerra se arrastasse para o inverno. Hitler repreendeu seus generais derrotistas: ele confiava em seus homens para batalhar até Moscou antes do inverno chegar. Era apenas um pouco de mau tempo e os membros da Raça Superior poderiam lidar com isso. Ele gostava de lembrar aos ouvintes que só usava calças compridas quando exigido por protocolo. Quando, finalmente, se retirava para Linz, como um verdadeiro homem ariano, ele usava apenas calça de couro e shorts, especialmente nas profundezas mais frias do inverno. Essa mistura de desprezo e excesso de confiança contribuíram para a morte de inúmeros soldados da Wehrmacht e assustaram milhares de outros.

Convencendo os céticos

No inverno seguinte, o exército estava mais bem vestido e melhor abastecido, mas a confiança pública em Hitler e em seu regime nesse assunto em particular não foi restaurada. Era vital que Hitler estivesse tomando todas as medidas possíveis para garantir que as tropas no front Oriental estivessem totalmente equipadas para o terceiro inverno na Rússia. Seguindo a recomendação de conselheiros finlandeses, novos uniformes de inverno foram projetados para Divisão Wehrmacht, Waffen-SS e Luftwaffe Field. Em 16 de novembro, Hitler seria filmado interessando-se muito por esses novos uniformes em seu QG na região leste da Prússia, Wolfsschanze. Os soldados escolhidos para modelar a nova roupa foram selecionados por altura, corpo e características faciais "tipicamente germânicas". Um deles era o barão Axel von dem Bussche-Streithorst.

Um oficial e um cavalheiro do 9º

Oberleutnant, mais tarde major von dem Bussche, serviu na elite do Regimento da 9ª Infantaria. Guarnecido na casa espiritual do exército de Potsdam e, sem dúvida, a unidade mais histórica do exército alemão, essa era, de fato, a mais elevada socialmente. Muitas vezes, era ridicularizada pelas tropas em unidades mais humildes como *Infantaria-Regimento von Neun* ou apenas *Graf Neun*, uma referência ao número de aristocratas dentro de suas fileiras. Sabe-se que pelo menos 21 oficiais da 9ª participaram de alguma forma na trama anti-Hitler. A oposição pessoal de Von dem Bussche ao Reich nazista foi confirmada em 1942, quando encontrou um *Einsatzgruppe* em trabalho na cidade ucraniana ocidental de Dubno. Mais de 12.000 judeus da cidade e seu interior tinham sido reunidos em dois guetos e estavam sendo metralhados antes de caírem nos poços que foram forçados a escavar. Naquele dia, von dem Bussche jurou matar Hitler. Sua seleção para a exposição de uniformes de inverno deu-lhe uma oportunidade inesperada de penetrar na segurança de Hitler e seu plano era tão simples quanto o de Gersdorff, oito meses antes. Peças de uma granada foram usadas para construir um dispositivo com um fusível de quatro segundos que poderia ser transportado despercebido dentro dos bolsos profundos do seu sobretudo ou de suas calças de campo. Quando Hitler se aproximasse para admirar os detalhes de seu revestimento de inverno, von dem Bussche pegaria o monstro e o levaria para o inferno.

Desta vez, foi a RAF que veio em socorro a Hitler. No dia anterior do show, os uniformes estavam em trânsito para Wolf's Lair em um vagão de mercadorias ferroviárias a leste de Berlim, mas os bombardeiros da RAF estragaram a festa da moda de Hitler explodindo o trem e seu conteúdo em pedaços. Uma nova data, 11 de fevereiro, foi planejada para a inspeção de uniformes, mas, até então, von dem Bussche havia perdido parte de uma perna em ação e não parecia mais apropriado para a filmagem de Goebbels. Um oficial companheiro e conspirador, Ewald von Kleist, filho de um advogado oposicionista, ofereceu-se para o lugar de von dem Bussche e colocaria sua bomba em ação. No entanto, um avanço de sucesso russo no setor Báltico e desembarques de aliados em Anzio e Nettuno assustaram o Führer e desviaram sua atenção. Várias novas datas para o desfile de uniforme foram escritas na agenda de Hitler e depois apagadas, mas o filme de moda de inverno nunca aconteceu.

CAPÍTULO 17

11 de março de 1944
De volta ao Berghof

Em 8 de março de 1944, Hitler finalmente aceitou que a Alemanha não tinha homens nem material para continuar lutando uma guerra ofensiva contra a União Soviética. Foi um momento crítico na Segunda Guerra Mundial. No verão anterior, o massivo ataque dos tanques alemães no saliente de Kursk havia fracassado, resultando em pesadas perdas de homens experientes e de armamento, cada vez mais difíceis de substituir. Grande parte da infraestrutura industrial da Alemanha havia sido danificada pelos bombardeios aliados e peças para tanques e aviões de reposição, bem como para a nova arma milagrosa, o foguete V1, estavam, cada vez mais, sendo fabricadas em fábricas subterrâneas, usando trabalho escravo. Na Itália, as forças aliadas que estavam retidas em Monte Cassino desde 17 de janeiro estavam agora à beira de um grande avanço, a menos de 145 km (90 milhas) ao sul de Roma. Certamente, haveria desembarques aliados em algum lugar do noroeste da Europa no próximo verão. A guerra estava inevitavelmente se voltando contra Hitler, que agora acreditava que, para lutar com sucesso em todas as frentes, a Alemanha precisava adotar uma nova abordagem defensiva. Sua retórica assumira um tom claramente negativo nos últimos meses. Ele não falava mais em blitzkrieg, mas em defender a Pátria até o último suspiro, resistindo aos inimigos da Alemanha até a última bala e enfrentando-os na última barricada com facas e punhos, se necessário.

Costas na parede

Hitler planejava convocar os comandantes da Wehrmacht, da Luftwaffe e da Kriegsmarine para uma conferência especial em Berghof, em 11 de março. Lá confirmaria que estava convencido de que o Muro Atlântico, as fortificações de concreto e baterias de artilharia ao longo da costa da Europa Ocidental e Escandinávia, eram suficientemente robustos e bem equipados para lidar com os desembarques previstos lá no final do ano. E se os aliados atravessassem o sul de Roma, os preparativos estavam bem à mão para novas linhas defensivas no norte de Lácio, Úmbria e Toscana. O problema eram os quase 2.250 km (1.400 milhas) de extensão do front Oriental. Hitler revelaria sua solução em 11 de março: o exército deveria concentrar-se em uma cadeia de pontos fortes e solidificados em 'cidades--fortaleza' estendendo-se de Reval ou Tallinn, no Báltico, até a Crimeia, no Mar Negro. Estes locais eram inexpugnáveis, mas as forças alemãs seriam capazes de escapar e atingir o Exército Vermelho em seus flancos. Foi, em essência, a estratégia de imobilidade defensiva que fracassara na França em 1940: a própria antítese da guerra de movimento rápido, a guerra relâmpago, que havia dado vitórias a Hitler em 1939 e 1940. Esse era um sinal claro de que Hitler sabia que a guerra era invencível. O melhor que ele poderia esperar agora era um impasse.

A conferência Berghof

Nos dias 10 e 11 de março, o aeroporto de Salzburgo e a pista de pouso em Obersalzberg estavam ocupados com comandantes que voavam do Reich para uma conferência de última hora. Um Condor da própria frota de Hitler havia sido enviado para um dos homens-chave em seu novo plano, o marechal de campo Ernst Busch, que havia sido comandante chefe do Centro de Grupos de Exércitos no coração da Frente Russa, desde outubro anterior. Ele foi acompanhado por seu assessor Eberhard von Breitenbuch, que ocupou o posto de Rittmeister ou Mestre de Cavalaria. Como quase todo oficial alemão, leais ou dissidentes, Breitenbuch sabia que a guerra estava perdida. Ele também sabia que Hitler nunca aceitaria a exigência da Casablanca, do presidente Roosevelt, de que apenas uma rendição incondicional alemã era aceitável. Hitler lutaria até a última gota de sangue alemão derramado sobre as estilhaçadas calçadas destruídas por bombas do centro de Berlim, portanto, ele teria que ser eliminado se a Alemanha quisesse ter paz. Breitenbuch era um protegido e amigo do major General Tresckow. Ele também era excelente em tiro e estava com uma pistola carregada. O suposto assassino de Hitler não esperava embarcar no Condor em seu voo de retorno para a Bielorrússia.

No salão do Führer na montanha

A reunião seria realizada no Grande Salão do Berghof. O nível mais baixo, confortavelmente abrigava cadeiras suficientes para uma audiência de 60 ou 70 pessoas. Três degraus de mármore levavam a um nível elevado menor, dominado por uma vasta lareira em mármore vermelho escuro, móveis pesados de madeira no estilo "antigo teutônico", projetados para evocar uma atmosfera wagneriana mitológica. Em circunstâncias normais, a decoração teria sido concluída com um grande globo rotativo, um pouco menor do que a versão da chancelaria de Berlim que Charlie Chaplin copiou para impressionante efeito cômico em seu filme *O Grande Ditador*. No entanto, dada a probabilidade crescente de um ataque aéreo Aliado, muitos dos adereços da liderança que geralmente estavam em exibição no salão - os móveis enormes, os livros e as pinturas - foram levados para o outro, mais funcional Berghof que operava no subsolo. À medida que a guerra se aproximava da Pátria, Martin Bormann, o "gerente" de Berghof, supervisionava a construção de uma intrincada rede de salas e túneis subterrâneos. Se aeronaves inimigas fossem vistas nos céus alpinos, os convidados importantes poderiam se retirar e continuar sua reunião em segurança, abaixo. A guarnição dos guardas do SS Leibstandarte estava em alerta máximo, assim como as equipes que manejavam a bateria de armas antiaéreas implantada em todo o vale de Obersalzberg. A única ameaça a Hitler que não havia sido planejada era o oficial de cavalaria de 34 anos que caminhava diretamente em direção à porta que dava para a sala de conferências.

Pedido especial do Führer

Breitenbuch discutira suas táticas com Tresckow e outros dissidentes. A ele foi oferecida uma bomba, mas decidiu não usar. No Berghof, iria parecer nitidamente estranho e suspeito se ele se aproximasse do Salão Principal usando um sobretudo de campo. O processo para os visitantes oficiais no pátio da montanha de Hitler já era bem conhecido. Na chegada ao complexo, ele seria levado a um dos locais construídos para convidados e para sua cantina subterrânea para refrescos. Nesse ponto, um funcionário pegaria seu agasalho e o verificaria. Então, como os outros convidados, ele se dirigiria ao edifício central por um túnel, vestido com sua jaqueta de campo. Infelizmente, nenhum de seus bolsos agora seria profundo o suficiente para ocultar uma bomba. Além disso, os guardas do SS Leibstandarte no Berghof estavam não apenas dedicados ao seu líder, mas também eram conhecidos por desempenhar suas funções de uma maneira altamente profissional, então, ele esperava ser revistado completamente. No entanto, os guardas não olhavam desconfiados para uma pequena pistola em seu poder. De fato, poderia parecer mais curioso para eles se um oficial de serviço não estivesse armado enquanto estava de serviço. E como Breitenbuch assegurou a seus colegas, ele geralmente era um sujeito frio sob pressão e um bom atirador. Ele poderia colocar duas, talvez três balas no crânio de Hitler antes mesmo de seus guardas começarem a reagir.

No início, tudo correu como Breitenbuch havia previsto. As preliminares terminaram, ele e o marechal de campo Busch emergiram do túnel e seguiram para a entrada da sala de conferências. Nesse ponto, um oficial do SS avançou e deteve Breitenbuch pelo braço: "Oficiais abaixo do posto de general não poderão entrar na câmara da conferência hoje. Por favor, aguarde na antecâmara ou no lado de fora da casa. Pedido especial do Führer". Não havia sentido em resistir ou tentar passar pelos guardas. Ele teria sido retirado em segundos, nos dois sentidos da frase. Mais uma vez, uma decisão repentina de Hitler frustrou uma conspiração para matá-lo. Busch seguiu em frente sozinho enquanto Breitenbuch foi deixado chutando os calcanhares na entrada da vila alpina do Führer. Finalmente, ele teve a compensação de admirar a coleção de plantas raras das montanhas e cactos de todo o mundo que Eva Braun e sua irmã Gretl tinham, cuidadosamente, plantado no portal de Berghof.

Um visitante regular do Berghof

Um outro oficial da Wehrmacht teria a oportunidade de matar Hitler no Obersalzberg no verão de 1944. Entre 7 de junho e 11 de julho de 1944, estaria na presença de Hitler três vezes no Berghof. Na primeira reunião, sua pasta continha apenas alguns documentos relevantes, mas nas duas próximas ocasiões continha um poderoso dispositivo explosivo. E, no entanto, ele não pressionou o gatilho. Ele decidiu que acabaria detonando o explosivo plástico britânico que estava carregando com ele, mas não na casa de férias do Führer na bela Baviera. Em vez disso, ele liquidaria Hitler, de uma vez por todas, na casa de Wolf's Lair, seu QG prussiano oriental perto de Rastenburg. O nome do oficial era coronel Claus Graf von Stauffenberg.

Um ataque britânico ao Führer?

Duas semanas após a queda da França, em junho de 1940, os comandantes britânicos estavam pensando seriamente em matar Hitler. No início, o plano era interromper o inevitável Triunfo da Vitória que os nazistas apresentariam no centro de Paris. Oficiais que conheciam bem Paris, desde os dias mais felizes, foram convidados a considerar a mais provável posição no pódio do Führer, atendendo às preocupações de segurança da Gestapo e as demandas de publicidade de Goebbels deveriam ser levadas em consideração. Eles concordaram que, no grande dia, Hitler, provavelmente, estaria perto do Arco do Triunfo, um local ideal para saudar seus homens e um cenário igualmente perfeito para uma RAF de bombardeio de baixo nível. Mas a ideia foi silenciosamente abandonada. As câmeras de Goebbels, certamente, estariam cobrindo o evento e as filmagens de bombas britânicas explodindo Paris seriam propaganda contrária. Não ficaria bem nos cinemas da América ainda neutra. Como ocorreu, Hitler estava ansioso para conquistar os franceses à sua ideia de uma Europa fascista unificada e, por isso, vetou a ideia de um desfile da vitória triunfal.

O Trem Especial Amerika

Uma segunda ideia era chegar a Hitler enquanto viajava em seu *Sonderzug* ou trem especial, de codinome Amerika. Mas os vagões que abrigavam o Führer e sua comitiva haviam sido reforçados em 1939 com painéis banhados a aço e o trem carregava dois vagões de plataforma que abrigavam suas próprias armas antiaéreas. As vezes em que Hitler planejava usar o trem eram conhecidas apenas pelos seus assessores do SS e, por segredo, costumavam ocorrer à noite. Um trem fictício saía à frente do Amerika, caso as faixas tivessem sido adulteradas ou uma bomba tivesse sido colocada embaixo delas, e todos os outros trens eram parados ou marginalizados para que o Amerika pudesse funcionar a toda velocidade entre as estações. Era um alvo difícil de encontrar e até mais difícil de acertar.

Podemos pegá-lo no Berghof

Contudo, a tentadora ideia de que Hitler era mais acessível no Berghof nunca foi embora. Em junho de 1944, o major-general Colin Gubbins, o diretor do British Special Operations Executive (SOE), autorizou um estudo de viabilidade para uma missão com atirador de elite denominada Operação Foxley. Devia muito à trama do suspense de Geoffrey Household, que nessa época já havia passado vários anos como espião britânico nos Balcãs e no Oriente Médio. Nesta fase posterior da guerra, a inteligência britânica havia reunido vários dossiês grossos referentes a todos os aspectos do layout do Berghof e suas defesas. Os britânicos haviam colhido essas informações de prisioneiros de guerra alemães que tinham visitado ou trabalhado de alguma forma na casa das montanhas de Hitler. Muito foi conhecido sobre as rotinas diárias de Hitler, especialmente sobre seu hábito de percorrer o bosque ao seu preferido Teehaus.

Os agentes poloneses com um histórico de sucesso na "guerra negra" foram considerados para o trabalho. Falando um excelente alemão e vestindo uniformes do SS, uma vez através do perímetro interno, eles teriam uma chance melhor do que a maioria que chegasse perto o suficiente do alvo. Eles também foram movidos por um intenso desejo de vingar seu país devastado e sua nação mutilada. Um oficial britânico que estava considerado para um tiro certeiro, o capitão Edmund Bennet, também foi sondado vagamente sobre o trabalho. Embora ele estivesse gostando de uma postagem glamourosa como militar adido em Washington, Bennet expressou seu interesse pela missão, mas deve ter ficado de fato aliviado quando a Operação Foxley foi, silenciosamente, arquivada.

A ideia de decapitar o Reich certamente teve seus apoiadores no Ministério da Guerra, pois o descarte de Hitler poderia ter acelerado o colapso das forças armadas da Alemanha. Outros, incluindo o vice-chefe da seção alemã da SOE, Ronald Thornley, temiam transformar Hitler em um mártir e criar um futuro mito de que a Alemanha teria vencido a guerra se ele tivesse sobrevivido. Em última análise, o Gabinete de Guerra chegou à conclusão de que, à medida que a guerra progredia, Hitler acabou por ser o melhor general que os aliados poderiam ter. Sua contínua interferência nas operações militares alemãs e sua profunda desconfiança nos homens de Zossen dificultaram bastante o esforço de guerra alemão, particularmente sua recusa contínua de permitir que seus generais retirassem seus homens de posições para descansar e reagrupar. E, de qualquer forma, qual era o objetivo de enviar atiradores para o Berghof em uma missão suicida, se ninguém sabia se ele realmente estava lá?

O Führer desaparecido

Hitler raramente era visto em público desde o verão de 1944, nunca havia recuperado seu espírito após a aniquilação repentina e quase completa do Grupo do Exército de Centro da brilhante ofensiva da União Soviética no final do verão, o Plano Bagration. No maior triunfo tático da guerra, o Exército Vermelho destruiu 28 das 34 divisões em menos de oito semanas. Juntamente com os progressos realizados na França e Itália pelos aliados ocidentais, Hitler sabia que a guerra estava efetivamente acabada. A inteligência aliada acreditava que ele estivesse gravemente doente e, de fato, tivesse sofrido um acidente vascular cerebral. O Dr. Morell estava mantendo-o com uma mistura de pílulas e injeções, que incluíam metanfetaminas potentes, como a 'droga de combate' Pervitin. Se o uso desse estimulante lhe trazia algum benefício temporário, também o afetaria com seus conhecidos efeitos colaterais. Ele sofreria de exaustão e inércia por dias e seria incapaz de se concentrar na guerra. Era conhecido, no entanto, que ele esteve no quartel-general de Rastenburg em novembro de 1944 e os russos confirmaram que o Lobo não estava mais em seu covil quando ocuparam suas ruínas danificadas no final de janeiro.

Um último ato dramático?

No início de 1945, os estrategistas aliados suspeitavam de que Hitler planejava sua última posição no Obersalzberg em um 'Reduto Alpino'. Britânicos 'especialistas em Hitler' também achavam que isso era muito provável. Combinava com o que era conhecido sobre sua psicologia pessoal e seu interesse em mitologia e música. Hitler era conhecido por ser um admirador do cataclísmico *Götterdammerung* de Wagner, em que a fortaleza de Valhalla desmorona em torno dos deuses nas últimas cenas. Os planejadores aliados especulavam que ele escolheria uma morte igualmente gloriosa nas montanhas que cobriam suas duas pátrias da Áustria e da Baviera. Um número de relatórios de inteligência sugeria considerável a atividade de construção de túneis nas colinas ao redor do Berghof.

Nas últimas semanas da guerra, o general mais leal de Hitler, Sepp Dietrich, estava chamando a atenção por ter repentinamente recolhido seu sexto exército de tanques e várias unidades da Waffen-SS bem equipadas do setor de Lake Balaton, na Hungria. Dietrich havia chegado a Viena e supunha-se que ele estivesse indo para o oeste juntar-se ao Führer para os momentos desafiadores finais do Terceiro Reich. A ideia de uma campanha sangrenta e prolongada nos Alpes da Baviera não era bem-vinda aos comandantes americanos e britânicos, especialmente àqueles que estudaram a sanguinolenta guerra austro-italiana que havia sido travada a apenas algumas milhas de distância, entre 1915 e 1918.

Como precaução, em 25 de abril de 1945, a RAF enviou mais de 300 bombardeiros para o Obersalzberg para esmagar o potencial Álamo de Hitler. Eles fizeram um bom trabalho em demolir os edifícios visíveis no complexo de

CAPÍTULO 17

Berghof, embora muito da sua rede subterrânea fosse relativamente incólume. Vários tripulantes britânicos foram mortos na missão e suas mortes foram em vão. Hitler já tinha decidido que iria lutar até o fim e dar o último suspiro no centro da capital do Reich, Berlim. Ele havia deixado o Berghof em 16 de julho de 1944, e voado para o norte, para nunca mais voltar.

CAPÍTULO 18

20 de julho de 1944
Stauffenberg

No início de abril de 1943, unidades da 10ª Divisão Panzer ligadas ao Afrika Korps de Erwin Rommel assumiram novas posições defensivas perto de Mezzouna. Esta pequena cidade tunisiana central ficava a 72 km (45 milhas) a sudeste de Sidi Bouzid, a antiga cidade romana cristã de Simingi. Cerca de mais de uma hora de carro para o oeste, havia a paisagem dura e rochosa onde a batalha do Passo Kasserine havia acontecido cinco semanas antes. Os lados das estradas secas e pedregosas em torno de Kasserine ainda estavam cheios de evidências do sucesso recente de Rommel. Em um amargo compromisso de cinco dias no final de fevereiro, o grupo de batalha dos aliados, em grande parte americano, havia perdido quase 800 tanques e outros veículos e mais de 3.300 homens mortos e feridos. Outras 3.000 tropas aliadas desapareceram na dura paisagem da Tunísia. Uma combinação da astúcia de Rommel, seu gosto por truques no campo de batalha que lhe valeram o apelido de Raposa do Deserto, e a inexperiência das tropas americanas e de seus comandantes resultaram em uma vitória tática de curto prazo para o Afrika Korps. Isso havia sugado de Rommel um tempo valioso para reorganizar suas forças cansadas e esgotadas para as desesperadas batalhas ainda por vir.

Bombardeados em Mezzouna

Em 8 de abril, um bombardeiro de ataque terrestre do Curtiss P-40 Kittyhawk da Força Aérea Real Australiana avistou um carro de serviço alemão correndo pela estrada poeirenta em direção a Mezzouna. Continha um oficial de operações do 10° Panzers, que estava prestes a inspecionar as posições de temporárias que alguns de seus veículos haviam tomado lá. O Kittyhawk fez um rasante e desceu em direção ao carro com suas metralhadoras Browning em chamas. O jovem tenente no carro foi morto e o oficial superior, tenente--coronel, sofreu numerosas feridas terríveis de balas e estilhaços por todo o corpo, mas sobreviveu ao ataque. Ele também sobreviveu à cirurgia de emergência no hospital de campanha mais tarde naquele dia, embora tenha sofrido danos permanentes, que equivaleram à perda de um olho, dois de seus dedos da mão esquerda e toda a mão direita.

De volta à Alemanha, ele foi tratado pelo cirurgião de renome mundial Ernst Sauerbruch, do Hospital Charité, de Berlim, famoso por seu trabalho em tuberculose, mas também um especialista inovador no campo das próteses para feridos de guerra. Recuperando-se em um sanatório perto de Munique, o oficial recebeu duas medalhas de 'ouro' como compensação por suas perdas. Mais importante, porém, seus ferimentos significavam que seu serviço ativo como oficial de linha de frente na guerra havia terminado. Na melhor das hipóteses, poderia esperar um trabalho monótono em algum lugar na Pátria. Ver a guerra como um "garoto dos fundos" não era agradável na perspectiva de Claus von Stauffenberg, um alemão patriótico e um soldado eficaz com gosto pela ação em campo.

Uma família de cavaleiros

Claus Philipp Maria Schenk Graf von Stauffenberg nasceu em 1907 em um dos quatro castelos de sua família na Suábia, no sul da Alemanha. A linhagem dos Stauffenberg traçava sua ascendência até um Cavaleiro Imperial em 1251 e eles eram especialmente orgulhosos de seu título hereditário adicional de Schenk ou Porta-troféus. Isso denotava seus séculos de serviço e conexões estreitas com a família real Hohenzollern. Quando menino, Claus era muito inteligente, sensível e, excepcionalmente, bem educado. Quando era jovem, ele e seus irmãos desenvolveram um interesse duradouro nos vários "círculos" de escritores, poetas e filósofos que procuravam nutrir uma nova sociedade alemã mais moral ao longo das décadas de 1920 e 1930. No entanto, em 1926, aos 19 anos, juntou-se à organização militar da República de Weimar, o Reichswehr, como cadete oficial em seu regimento de cavalaria da família e, mais tarde, frequentou a Kriegsakademie em Berlim. Embora tenha rece-

20 DE JULHO DE 1944: STAUFFENBERG

Claus von Stauffenberg foi a força motriz por trás da trama de julho de 1944 para assassinar Hitler.

bido uma educação completa em tecnologia moderna de guerra, manteve ao longo da vida um interesse por cavalos e defendeu seu valor contínuo na logística militar. Eles certamente foram úteis quando os tanques e caminhões congelaram na Rússia no inverno de 1941.

Um soldado modelo

O primeiro serviço "ativo" de Stauffenberg fazia parte de uma coluna que entraria no Sudetenland depois que Grã-Bretanha e França abandonaram a Tchecoslováquia à própria sorte, em setembro de 1938. Ele participou do Blitzkrieg polonês no ano seguinte e, por seu serviço no outono na França, em 1940, foi premiado com a Cruz de Ferro de Primeira Classe. Na época da Operação Barbarossa, em junho de 1941, Stauffenberg foi anexado ao Alto Comando da Wehrmacht na Frente Oriental. Em 8 de novembro de 1942, os Aliados Ocidentais lançaram a Operação Tocha e, durante oito dias seguidos, um impressionante grupo de batalha anglo-americano desembarcou em Marrocos e Argélia. A 10ª Divisão Panzer foi desviada primeiro para Vichy, na França, e depois para o norte da África francesa para enfrentar essa ameaça, que levou ao ataque a Stauffenberg, o incidente que mudou sua vida no caminho para Mezzouna. Apesar de suas várias deficiências, deveria haver um papel útil e valioso na Wehrmacht para um homem com sua inteligência e experiência. Quando ele recebeu alta do hospital, em julho 1943, descobriu, porém, que havia sido redesignado como oficial da equipe no Exército de Reserva em Berlim, onde ele poderia embaralhar papel em sua mesa até o fim das hostilidades.

O exército substituto

Nos pacíficos anos de Weimar, os novos recrutas do Reichswehr normalmente aprendiam seu novo "ofício" com soldados em seus próprios regimentos, em suas bases na Alemanha. Mas com quase todas as unidades em serviço ativo, o treinamento inicial de novos soldados era realizado pelo *Ersatzheer*, ou exército substituto. Em setembro de 1943, Stauffenberg foi designado para a sede do *Erstazheer* em um bloco de escritórios na Bendlerstrasse, em Berlim. Um de seus oficiais superiores, general Friedrich Olbricht, foi um crítico vocal de Hitler e foi corretamente presumido por muitos por ser um oposicionista ativo. Através de Olbricht, Stauffenberg cruzou, mais uma vez, caminhos com Henning von Tresckow: eles se encontraram de forma breve na Rússia. Ele também conheceu Axel von dem Bussche, que tentaria assassinar Hitler na exposição de uniformes de inverno no final daquele ano. Stauffenberg foi sendo, gradualmente, cercado por camaradas oposicionistas e sua própria transformação, longa e lenta, de oficial leal a líder da resistência anti-Hitler já estava a caminho.

Uma decisão difícil

Muitos "resistentes da consciência" alemães, como os estudantes da Rosa Branca ou o pastor antinazista Dietrich Bonhöffer, entenderam instantânea e instintivamente o mal inerente do nazismo desde o início. Como muitos "resistentes militares" de sua classe, no entanto, Stauffenberg tinha opiniões profundamente conflitantes sobre Hitler e o movimento dele. Ele concordou e admirou muitos aspectos da ideologia nazista e, como milhões de alemães do período, reconheceu os pontos fortes de Hitler como um líder e, convenientemente, ignorou suas falhas. Em sua juventude, Stauffenberg compartilhou as suposições preconceituosas cotidianas sobre os judeus que tinham tradicionalmente informado aos alemães "arianos", de todas as classes sociais, e mais tarde admitiu fazer as observações antissemitas casuais que apimentaram a conversa de alemães do seu posto. Ele também era um nacionalista conservador e, portanto, implacável contra os ditames do Acordo de Versalhes. Mesmo em 1944, quando a guerra estava claramente perdida, ele considerou que a Alemanha só deveria concordar com um novo armistício e acordo de paz se os Aliados garantissem restaurar a fronteira oriental, como estava em 1914.

Ele foi além, acreditando que terras e cidades mais a leste que antes tinham sido ocupadas pela Ordem dos Cavaleiros Teutônicos, como a cidade de Reval, em Hansa, deveriam ser reincorporadas à Pátria. E compartilhou as suposições de sua classe sobre os povos não-alemães da Europa Central e Oriental, implicitamente aceitando muitos aspectos da política racial nacional-socialista. Como muitos alemães na época, ele via, sem pensar, os eslavos como inferiores aos alemães, da mesma maneira que muitos britânicos do período consideravam que certos povos do seu Império eram 'menos desenvolvidos'.

Stauffenberg também admirava a visão nazista de uma sociedade disciplinada, uma nação de camaradas, que respeitavam suas comunidades e tradições locais e permaneciam contra o espírito corrosivo da vida moderna gerados nos centros urbanos cada vez maiores. Em teoria, pelo menos, Adolf Hitler e seu movimento pareciam colocar uma maior ênfase numa abordagem moral da vida que valorizava a família, a comunidade e a fidelidade. O nazismo prometeu ser um antídoto para o comercialismo e a corrupção que Stauffenberg e outros de sua classe sentiram ter penetrado na vida alemã como um resultado do capitalismo e industrialização. E como todos os homens da Wehrmacht, em 1934, ele fez o sagrado juramento de lealdade ao Führer. Quebrar esse juramento seria uma decisão difícil para um homem da criação e crenças como Stauffenberg.

Nenhum nazista

Embora Stauffenberg tenha apreciado alguns aspectos-chave do programa de Hitler, nunca ingressou no NSDAP e quando questionado por Tresckow e outros sobre sua política, ele deixou bem claro que não tinha planos de fazê-lo. Apesar de seus apelos à história e tradição alemãs, ele desconfiava das modernas abordagens políticas nazistas, que, muitas vezes, dependiam da disposição de um "gangsterista" para recorrer à ilegalidade e "à política do cassetete e arma". Em muitos aspectos, ele era um homem de uma era mais distante. Crescendo como um Stauffenberg, experimentou uma infância e adolescência em que mudava de um castelo ou mansão para outro e não podia desconhecer a longa história de sua família e suas tradições de serviço à comunidade e à nação. Ele foi um católico praticante ao longo de sua vida, provavelmente porque compreendeu as maneiras pelas quais sua igreja histórica ajudou a unir a sociedade alemã, não por qualquer fé ardente. E teve um grande prazer intelectual com os poemas e pinturas românticas "medievalistas" alemães do século XIX, que haviam feito muito para promover um nacionalismo alemão orgulhoso.

De todos esses ingredientes em sua vida, ele destilou um código de cavalheirismo pessoal que foi posteriormente transmitido por sua leitura dos atuais filósofos morais e poetas como Stefan Georg. No início, ele realmente acreditava que Adolf Hitler era um homem de algum princípio e, até Stalingrado, que era um estrategista militar competente. O caro fiasco russo dissipou essa ilusão e uma conversa com Axel von dem Bussche destruiu a outra. Um chocado Stauffenberg ouviu von dem Bussche contar sua experiência arrepiante na cidade ucraniana ocidental de Dubno, em 24 de outubro de 1942. Ele havia tropeçado em um SS Einsatzgruppe agitado, exterminando a população judaica da cidade e as coisas que viu naquele dia o obrigaram a se juntar à resistência a Hitler. Suas palavras tiveram exatamente o mesmo efeito em Stauffenberg.

Um líder natural

Claus von Stauffenberg tinha muitas vantagens na vida, das quais seu comportamento pessoal e sua aparência não eram menos importantes. Ele era charmoso, bem-humorado e bonito, mesmo depois de adquirir o adesivo sobre o olho esquerdo ausente. Com porte atlético e 191 cm (6ft 3in) de altura, era uma figura imponente. Ele também era um homem incansável e dinâmico, com energia para realizar todos os cenários de tarefas invisíveis que eram uma parte necessária para planejar, efetivamente, qualquer projeto, ainda mais um que envolvesse o assassinato de um chefe de estado fortemente vigiado. Além disso, ele estava acostumado a comandar os outros, então, entendeu as qualidades pessoais necessárias para inspirar as pessoas a participar de missões que podiam levá-las diretamente às câmaras de tortura subterrânea no número 8, da Prinz-Albrecht-Strasse em Berlim, sede da Gestapo.

Durante o inverno de 1943–44, a liderança não oficial da facção da resistência na Wehrmacht recaiu sobre os ombros de Stauffenberg, em grande parte porque seus outros líderes não estavam mais disponíveis. Henning von Tresckow foi convocado para a Frente Oriental em outubro de 1943 e, dentro de algumas semanas, nomeado Chefe do Estado Maior do 2º Exército. Como comandante em campo, seus movimentos foram fortemente restritos e ele teria que pedir permissão a Berlim para se afastar de seu posto, mesmo que estivesse saindo de forma oficial. Além disso, embora seu cargo fosse sênior, não lhe dava direito automático de acesso ao Führer, então, ele foi efetivamente abandonado no front e não pôde fazer mais parte do trabalho da resistência. Hans Oster foi demitido de seu cargo em Abwehr no final de 1943, quando seu envolvimento em ajudar judeus a escapar da Alemanha foi descoberto. Ele também havia sido avisado por amigos que agora estava sob constante vigilância da Gestapo, portanto não participou mais do trabalho de resistência.

No início de 1944, Himmler conseguiu convencer Hitler de que a Abwehr, ou Inteligência Alemã, era um ninho de víboras, muitas das quais, há tempos, conspiravam contra o governo. Ele também podia provar que os agentes da

Abwehr eram responsáveis por salvar centenas de judeus da Gestapo, o que provavelmente irritou Hitler ainda mais. Em fevereiro de 1944, a Abwehr foi abolida e todas as suas funções passaram a ser desempenhadas por um escritório do SS supervisionado por Himmler. Várias semanas depois, o ex-líder da Abwehr, almirante Canaris, foi colocado sob prisão domiciliar.

Operação Valquíria

Se Stauffenberg ficou consternado com a perda desses camaradas experientes, ele ficou encantado com um resultado inesperado de seu embaralhamento de papéis na Bendlerstrasse. A Operação Valquíria, um conjunto de procedimentos elaborados e aprovados pelo Führer em 1943, especificou as ações a serem realizadas para combater um surto grave de inquietação pública na Alemanha. Os planos da Valquíria identificaram todos os militares, instalações de comunicação no Reich e reuniu os detalhes de contato de cada instalação e seu atual comandante. Eles também indicaram como os contingentes nessas bases seriam implantados se alguma vez recebessem o sinal de ativação "Valkyrie" de Berlim. Em circunstâncias em que o escritório do Alto Comando do Exército em Berlim fosse, temporariamente, incapaz de responder aos distúrbios ou de se *comunicar efetivamente, o plano Valquíria ordenaria aos comandantes Ersatzheer* em escritórios de segurança no Bendlerblock assumir o controle da situação. O plano inicial tinha sido elaborado para aliviar os medos nazistas de uma revolta pelos milhões de escravos estrangeiros trabalhadores que haviam sido pressionados na economia industrial alemã. Como se pensava haver mais de dez milhões, eles representavam uma séria ameaça para a estabilidade do Reich.

Na atmosfera deteriorada do início de 1944, no entanto, se pensava também que as precauções da Valquíria poderiam ser úteis se o inimigo tentasse um ataque de paraquedas na capital, ou mesmo se um golpe fosse tentado por elementos desonestos do Estado. Um dos deveres de Stauffenberg era manter os documentos do plano e alterá-los conforme as circunstâncias necessárias e, com o tempo, Stauffenberg e seu aliados do Exército da Reserva os alteravam, transformando-os em uma ferramenta que poderia ser usada para provocar um *coup d'état* (golpe de Estado) rápido. Com efeito, Stauffenberg criou uma Operação Valquíria paralela, que substituiria a original em caso de emergência. A primeira coisa necessária para desencadear o golpe era um ataque bem-sucedido a Hitler. O segundo requisito era um governo provisório plausível que pudesse estar em vigor e pronto para agir instantaneamente, enquanto outros, como Himmler e Göring, ainda estariam anestesiados pelos eventos. Vários oficiais do exército estavam dispostos a apoiar um governo sombra, mas os generais mais graduados, como o marechal de campo Erich von Manstein, não estavam dispostos a cometer motins. Significativamente, no entanto, eles não denunciariam os conspiradores. Stauffenberg decidiu seguir em frente, acreditando que uma vez que Hitler fosse eliminado, inevitavelmente, novos líderes emergiriam das fileiras seniores da Wehrmacht.

Encontro com o Führer

Conseguir realizar o primeiro requisito da trama, de repente, se tornou muito viável em 20 de junho de 1944. Stauffenberg soube que havia sido promovido a coronel e nomeado Chefe de Estado Maior e Comandante Chefe do Exército de Reserva, general Friedrich Fromm. Neste novo posto, era dever de Stauffenberg compilar e atualizar informações sobre os números de recrutamento do exército e as disponibilidades de novos recrutas para as funções da linha de frente. Dada a importância desses dados para Hitler e seus planejadores seniores, Stauffenberg também foi obrigado a entregar seus relatórios ao Führer pessoalmente e regularmente. Agora havia uma forte possibilidade de que o primeiro requisito para que uma operação Valquíria paralela bem-sucedida pudesse ser cumprida. Uma bomba poderia ser contrabandeada para a presença de Hitler, fosse ela em Rastenburg, no Berghof ou na Chancelaria do Reich. O único problema era que Stauffenberg teria que fazer o maldito trabalho ele mesmo.

Três viagens aos Alpes

Entre 7 de junho e 11 de julho, Stauffenberg encontrou Hitler três vezes no Berghof. Na primeira reunião, havia apenas documentos em sua pasta. Seu objetivo era conhecer o layout do Berghof e causar uma boa impressão em Hitler e em seus cortesãos. Foi recebido calorosamente pelo Führer, que havia sido informado de seu admirável desempenho tanto em campo quanto no escritório oficial de equipe. Em 6 de julho, ele tinha explosivos em sua maleta, mas eles não eram destinados a Hitler. Stauffenberg os levara para passar ao general Hellmuth Stieff, um opositor indeciso. O general havia levantado, anteriormente, a possibilidade de explodir uma bomba quando

Hitler visitasse a Schloss Klessheim, o magnífico palácio barroco nos arredores de Salzburgo, mas nesse caso, ele não estava disposto a levar a ideia adiante. Então, Stauffenberg voltou a Berlim com uma maleta cheia. Quando voltou ao Berghof, cinco dias depois, percebeu que ele não podia mais esperar que alguém matasse Hitler. O trabalho tinha que ser feito rápido e, provavelmente, ele era o melhor homem para fazê-lo, mesmo que fosse a segunda vítima de sua própria bomba.

E Himmler também!

Ao voar para o sul, novamente para a Baviera, em 11 de julho, qualquer autopiedade que ele sentisse seria logo dissipada pela informação de que Himmler também era esperado no Berghof. Matar os dois bastardos com uma bomba foi um bônus inesperado e fazia excelente senso tático. Himmler era um comandante inteligente e implacável e seria o sucessor mais provável de um Hitler morto. Com sua fanática legião na Waffen SS sob seu comando completo, a guerra poderia muito bem se arrastar por vários meses adicionais e, como Hitler, ele nunca se renderia. As responsabilidades dele em crimes de guerra nazistas em toda a Europa significavam que a morte em uma forca aliada seria seu provável destino, embora carregasse seu próprio suprimento particular de ácido prússico para enganar o carrasco. Enquanto ele respirasse, no entanto, Himmler iria continuar levando milhares de bons homens com ele para o túmulo. No evento, Stauffenberg não recebeu seu bônus, pois Himmler foi detido em outro lugar, mas a ideia foi boa e, por isso, decidiu adiar a explosão até a próxima viagem para o Obersalzberg. Hitler foi poupado no momento.

Simulação em Wolfsschanze

Quatro dias depois, Stauffenberg foi convocado às pressas para um dia de conferências no complexo de Rastenburg. Até agora, o explosivo plástico britânico SOE que ele transportava em sua pasta tinha acumulado alguma quilometragem: era o mesmo do estoque de Abwehr, que não havia sido detonado na bomba de conhaque congelada mais de 15 meses antes. Stauffenberg não teve dificuldade em carregar sua maleta pelas redondezas de Wolf's Lair e poderia ativar a bomba em qualquer uma das três reuniões daquele dia às quais ele e Hitler compareceriam. As razões de sua decisão de adiar explodir a bomba permanecia, portanto, uma fonte de disputa.

Graças ao seu novo posto, ele estava na presença de Hitler regularmente, então, poderia querer esperar até uma reunião posterior, onde tivesse a chance para encontrar outras figuras importantes do Partido, bem como o Führer. Ou talvez pudesse ter que se esforçar para ativar o dispositivo no tempo disponível limitado, não sendo familiarizado com o método de detonação e com apenas três dedos machucados para trabalhar. Ele primeiro teve que se certificar de que Hitler estava, realmente, na sala alvo. Então, teve que encontrar um motivo para sair para poder acionar a bomba. Finalmente, teve que voltar e colocar sua maleta na localização ideal. Se fosse para evitar o mesmo destino de Hitler, teria que sair da sala novamente. Não precisava só controlar os inevitáveis sinais de estresse sob pressão, mas também esperava que os guardas do SS Leibstandarte não vissem nada de incomum em seu comportamento.

20 de julho de 1944: dificuldades de detonação

Cinco dias depois, Stauffenberg estava de volta à Prússia Oriental e determinado a detonar a bomba, independentemente do que acontecesse. Havia sinais claros em Berlim de que os novos oficiais do SS de Himmler, que agora eram responsáveis pela inteligência militar da segurança, levavam seu trabalho muito mais a sério do que o almirante Canaris e Oster tinham feito. Vários oficiais oposicionistas haviam sido presos e estavam agora convidados de interesse especial na Prinz-Albrecht-Strasse. Não importava o quão corajosos eles fossem, seria apenas uma questão de tempo antes que se quebrassem e toda a "rede" da resistência implodisse.

Dessa vez, Stauffenberg não teve escolha a não ser levar adiante seu plano. Pela quarta vez em pouco mais de três semanas, ele estava em uma sala com Hitler, carregando uma bomba e sob o risco de exposição como traidor e morte certa. E ainda houve complicações inesperadas em seu caminho. A hora da reunião planejada com Hitler foi subitamente alterada. Foi remarcada posteriormente para que Hitler pudesse discutir vários assuntos urgentes com Mussolini com pormenores à tarde. Isso deixou muito menos tempo do que o esperado para Stauffenberg e seu ajudante, Oberleutnant Werner von Heaften, montarem e acionarem a bomba.

Sob o pretexto de Stauffenberg precisar trocar de camisa, ele usou os aposentos de um colega que estava acomodado no complexo. Eles estavam no meio do trabalho quando foram interrompidos por um assessor lembrando-os

CAPÍTULO 18

de que a reunião com o Führer estava prestes a começar, em cinco minutos. Stauffenberg e Heaften conseguiram ocultar a bomba do assistente, mas perderam segundos preciosos. Como resultado, Stauffenberg levou apenas uma placa preparada de explosivo para a sala de conferências. Não havia tempo para definir o fusível da segunda placa. E sob imensa pressão nem Stauffenberg, nem seu assessor pensaram em colocar o explosivo plástico "de reposição" em sua pasta, o que teria acrescentado algo à explosão. Devido a mais uma mudança no horário de Hitler, a bomba que Stauffenberg colocou debaixo da mesa, a apenas a um metro de seu alvo, estava seriamente com pouca força.

Missão cumprida?

A sala de conferências ficava em um prédio longo e baixo, que consistia em um telhado de concreto armado, assentado em uma fileira de colunas quadradas de tijolos. A 10 m (33 pés) de comprimento e cerca de 4 m (13 pés) de largura, a sala mantinha confortavelmente um grupo entre 20 e 25 participantes. No centro, havia uma pesada mesa de carvalho coberta de mapas, papéis, cadernos e lápis. Não era uma sala agradável, mas várias janelas ofereciam vistas das árvores maduras que ajudavam a proteger o complexo dos aviões de observação soviéticos. Stauffenberg estava atrasado e um resumo sobre notícias do Oriente já estava a caminho. Stauffenberg havia informado aos assistentes de Hitler que seu informante ainda não havia se recuperado de seu "incidente" tunisiano, então, um assento vazio próximo ao Führer havia sido deixado para ele, conforme solicitado. Hitler estava sentado apenas dois lugares à esquerda de Stauffenberg. Stauffenberg colocou sua maleta no chão e, depois, 'lembrando-se' de que tinha que fazer uma ligação, saiu da sala. Não havia nada incomum nisso. Conferências de instruções de Hitler não eram ocasiões solenes nem estáticas. Além de oficiais da Wehrmacht reunidos, questionando e conferindo as atualizações oficiais de informações, havia ajudantes trazendo novas mensagens ou documentos e mapas necessários, secretárias e estenógrafos martelando suas teclas. O sumiço de Stauffenberg mal foi percebido.

Carnificina e confusão

Às 12h42 da noite, vários funcionários empregados na Wolf's Lair ouviram uma explosão e a ignoraram. As equipes antiaéreas estavam testando suas armas, eles pensaram, ou os animais haviam vagado pelos campos minados que circundavam o perímetro do complexo. No bloco da conferência, no entanto, tudo era uma carnificina e confusão. Vigas de madeira desabaram na sala e a fumaça acre da explosão, da queima de mapas e dos documentos misturados com a poeira do teto de gesso permanecia no ar. A mesa central de carvalho era agora mil estilhaços de lascas, as janelas e portas da sala tinham sido estilhaçadas pela explosão.

Dez dos participantes da reunião ficaram gravemente feridos e eventualmente quatro morreram. Eles incluíam o coronel Brandt, que deveria ter sido morto pela bomba de conhaque. O primeiro a morrer foi o estenógrafo civil de Hitler, Heinrich Berger, que perdeu as duas pernas e simplesmente sangrou no chão. Ironicamente, o verdadeiro alvo da bomba estava entre os levemente feridos. Hitler apresentou apenas cortes pequenos, queimaduras e contusões. Um número muito grande de pequenos fragmentos da mesa de carvalho tinha causado algum dano superficial nas pernas, mas eles foram facilmente removidos. A princípio, atordoado e indignado, dentro de uma hora o Führer já estava brincando com seus assessores, secretários e manobrista, lembrando a todos a respeito de sua invencibilidade milagrosa. Naquela tarde, ele se divertiu com Mussolini mostrando a ele suas roupas muito esfarrapadas.

Calma na capital

Dentro de duas horas, Stauffenberg estava de volta a Berlim, procurando iniciar a segunda fase da trama. Ele imaginou que Hitler estava morto e a versão revisada da Operação Valquíria estava agora em pleno andamento. No entanto, ele sabia que o golpe não era planejar assim que chegasse ao aeroporto. O motorista dele já o havia abandonado e ele teve que seguir seu próprio caminho para o QG Bendlerstrasse. Na chegada, encontrou muito menos conspiradores do que o esperado e os que estavam em seus postos ficaram paralisados pela incerteza e pelo medo. As ordens para instaurar a Operação Valquíria haviam saído do Bendlerblock para centros de comando regionais, mas os oficiais nervosos na maioria deles decidiram esperar e cercar suas apostas. Não havia comunicação com o QG de Hitler já que o SS rapidamente impôs um blecaute eficaz nas comunicações. Muito em breve, no entanto, as ondas de rádio estavam cheias de mensagens confirmando que o Führer estava bem e que uma trama de traidores no Exército

CAPÍTULO 18

da Reserva havia sido frustrada. Comandantes regionais deveriam confiar apenas nas ordens de Reichsführer SS Himmler, que estava no comando total da situação.

Stauffenberg fez o que pôde para elevar os espíritos daqueles que ficaram com ele, telefonando para homens mais velhos que eram necessários para a resistência. Algumas tropas obedeceram às ordens da falsa Valquíria e o prédio do Ministério de Goebbels foi temporariamente cercado. No início da noite, estava claro que o regime mantinha-se firme. Major Otto Remer, comandante do Batalhão de Guardas da Grande Alemanha, levou seus homens para as ruas de Berlim, como ordenado por 'Valquíria', inicialmente acreditando que Himmler e Goebbels tivessem lançado um expurgo contra seguidores de Hitler. Após uma breve conversa por telefone com o Führer, no entanto, os homens de Remer fecharam o bairro do governo e o golpe em Berlim fracassou. Às 8:00 p.m., os poucos insurgentes restantes foram sitiados no Bendlerblock por unidades do SS. Uma luta dentro do edifício eclodiu entre os oposicionistas e outros oficiais "leais" do Exército da Reserva, que desconheciam a trama, e no tiroteio subsequente Stauffenberg foi gravemente ferido no ombro.

À meia-noite, o chefe do Exército da Reserva havia arrumado a bagunça. O general Fromm conhecia a trama e simpatizava com ela, mas não havia participado dela. No início daquele dia confuso e desesperado, ele estivera trancado em seu escritório por conspiradores que desconfiavam dele. Fromm estava mal comprometido pelos eventos do dia, mas decidiu que poderia haver uma maneira de salvar a própria pele. Hitler já havia ordenado que Stauffenberg e seus camaradas não deveriam ser sumariamente executados porque queria lidar com os traidores em seu próprio tempo e à sua maneira. Mas Fromm esperava demonstrar sua lealdade fingindo não ter recebido a ordem em toda a confusão. Ao atirar nos traidores, ele poderia mostrar sua fúria com aqueles que tentaram assassinar seu amado líder. Por volta da meia-noite, Stauffenberg e seu assessor von Heaften, além dos oposicionistas General Olbricht e seu assessor Quernheim, foram arrastados para o pátio de Bendlerblock. Lá eles foram baleados por um esquadrão de dez homens fornecido pelo major Remer, sem julgamento ou cerimônia. O fiel ajudante von Heaften lançou-se à frente de seu oficial sênior e foi atingido por algumas das balas destinadas a ele. Diz-se que o cavalheiresco Stauffenberg clamou a Deus para salvar a Alemanha Santa.

20 DE JULHO DE 1944: STAUFFENBERG

O diminuto major-general Helmuth Stieff é levado pela polícia após a tentativa de acabar com a vida de Hitler, em julho de 1944.

CAPÍTULO 19

Mulheres contra Hitler

Elise Hampel soube que seu irmão estava morto no final do verão de 1940. Um soldado da Wehrmacht, ele havia sido morto em ação na campanha Oeste algumas semanas antes. Ela sabia quem era o culpado pela morte de seu irmão. Elise era uma mulher de educação limitada, pois sua escolaridade formal terminou quando deixou a escola primária para trabalhar como empregada doméstica. No entanto, em sua dor e desespero, escreveu seus pensamentos sobre a notificação que havia chegado naquela manhã - Hitler, louco, belicista. Essas primeiras palavras deram-lhe uma ideia de como ela poderia lutar contra o regime nazista. Com a ajuda do marido Otto, ela escreveria mensagens expressando seu ódio por Hitler e sua guerra para incentivar seus colegas berlinenses a se levantarem e se rebelarem. Ela escrevia seus pensamentos em cartões postais: 'Acorde povo alemão, devemos nos libertar de Hitler. Não há liberdade sob esse governo diabólico.' Elise e Otto postaram alguns cartões, enquanto outros foram deixados em escadas de cortiços ou no peitoril das janelas das lojas; em qualquer lugar em que alguém pudesse vê-los, pegá-los e lê-los. Nos dois anos seguintes, eles deixaram mais de 200 desses cartões de mensagens em vários lugares em Berlim. Era a única maneira de Elise demonstrar sua oposição ao hitlerismo.

Impotente para resistir

Elise e Otto eram típicos alemães, como outros milhões, impotentes no Terceiro Reich. É provável que os Hampels nunca tenham votado no NSDAP nos dias de Weimar. Eles moravam no grande distrito da classe trabalhadora de Wedding, no noroeste de Berlim, onde a maioria das pessoas votou no social-democrata ou comunista antes de 1933. Como milhões de alemães, eles foram pegos desprevenidos pela velocidade e rigor com os quais os nazistas transformaram a república democrática em ditadura totalitária. Mesmo que eles tivessem sonhado em matar Hitler, alemães da classe trabalhadora como os Hampels não tinham acesso a armas, explosivos, contatos e recursos necessários para o enredo mais básico. Sua única maneira de expressar sua oposição ao regime era tentar fazer com que seus pensamentos e sentimentos fossem conhecidos por outras pessoas, anotando-os em frases simples.

Caçando os terroristas de cartões postais

A Gestapo ficou furiosa com os "terroristas dos cartões postais". Um fluxo constante de cartões com mensagens antinazistas escritas em tinta preta foi entregue à polícia por berlinenses assustados, preocupados de que a Gestapo tivesse deixado os cartões para que eles encontrassem e relatassem como um teste de lealdade. Lenta e metodicamente, a Gestapo mapeou a aparência dos cartões e reduziu a provável localização dos autores. As caixas postais foram monitoradas e os lojistas locais foram orientados a fornecer qualquer informação sobre clientes que comprassem cartões postais em branco, em qualquer quantidade. Eventualmente, no outono de 1942, Elise e Otto foram identificados e presos. Seu ato de rebelião tinha sido pessoal e fraco, mas aos olhos do Estado nazista era traição.

Uma professora heroica

Durante o período nazista, uma imagem do Grande Líder adornava as paredes de todas as salas de aula na Alemanha. Livros didáticos e mapas de parede, especialmente nos principais assuntos de história, refletiam a visão de mundo nacional-socialista. Assim, mapas nas paredes das salas de aula do período de Weimar, que mostravam as origens da civilização humana ao longo do Nilo e os grandes rios da Ásia, foram destruídos. Eles foram substituídos por mapas que mostravam claramente que a aurora da humanidade e as realizações de sua primeira grande cultura ocorreram no coração germânico entre o Reno e o Elba. Da mesma forma, os mapas da Europa pendurados nas paredes no período de Weimar continham tabelas que davam a distância em quilômetros entre as grandes cidades da Europa. Estes foram tirados após 1933 e substituídos pelos novos mapas aprovados, que mediam a distância entre cidades como Londres e Berlim em termos de tempo de voo estimado em caso de bombardeiros inimigos atingindo a capital alemã em uma guerra futura. Nenhuma dessas inovações educacionais foi implementada na escola administrada por Elisabeth von Thadden, perto de Heidelberg, nas décadas de 1920 e 1930, e depois numa localização em uma região mais segura de Tutzing, na Baviera, em 1940.

Elisabeth era uma mulher rica e bem-educada de criação protestante. Seu internato foi estabelecido com o objetivo específico de incentivar as meninas a serem jovens independentes e modernas, cuja moral era fundamentada em valores e ética cristãos. Ela tinha lido e admirado os escritos do educador Kurt Hahn e, depois de 1933, continuou a seguir os preceitos de pensadores progressistas semelhantes, em vez dos regulamentos da Ministério Nacional Socialista das Escolas. E continuou a matricular meninas judias por vários anos após a revolução nazista. Como sua primeira escola foi em uma casa de campo, em um local relativamente isolado, levou algum tempo para suas atividades chamarem a atenção das autoridades nazistas.

Após a mudança para Tutzing, no entanto, ela foi logo denunciada por um fervoroso aluno nazista. A falta de parafernália educacional nazista e a ênfase nas leituras do Antigo Testamento Judaico no culto diário da escola eram suficientes para as autoridades estatais da Baviera 'nacionalizarem' ou confiscarem a escola. Depois de Thadden ser expulsa do seu conselho de administração, mudou-se para Berlim, onde atuou como auxiliar de enfermagem da Cruz Vermelha, mas, inevitavelmente, mergulhou na companhia de camaradas com ideias semelhantes; isto é, aqueles com crenças, políticas e filosofias antinazistas. Ela permaneceu na lista de homens e mulheres marcados da Gestapo e acabou sendo recolhida por eles no início de 1944, enquanto trabalhava como enfermeira na França ocupada.

Atos de bondade, amizade e fé

Muitas outras mulheres alemãs resistiram ao governo nazista de "pequenas" maneiras semelhantes. Sua oposição, frequentemente, começava mais como uma expressão de decência humana do que como um ato político. A meio-holandesa Cato van Beck ficou horrorizada com o tratamento a uma família de vizinhos judeus que estava sendo deportada "para outros lugares". Cato, primeiro, reagiu à dureza dos nazistas dando comida aos prisioneiros franceses de guerra. Ela, então, passou a distribuir panfletos pedindo paz e chamando homens alemães a resistir ao recrutamento nas forças armadas. Ela rapidamente desapareceu em uma prisão da Gestapo.

CAPÍTULO 19

Nos dias de Weimar, Johanna Kirchner era uma ativista do Partido Social Democrata (SPD). Quando Hitler assumiu o poder, em 1933, e o partido foi declarado ilegal, se mudou para o Sarre, que ainda era administrado pela Liga das Nações. Depois que o Sarre voltou à Alemanha, em 1935, ela se mudou para França. Então, ajudou ex-colegas e amigos do SPD a fazerem suas saídas do Reich. Em 1942, foi presa pela polícia de segurança de Vichy, França, e entregue à Gestapo.

Eva-Maria Buch conheceu o jornalista Wilhelm Guddorf enquanto trabalhava em uma livraria e ele a apresentou à Orquestra Vermelha, uma organização livre de dissidentes e conspiradores que nunca existiu de maneira formal, mas que ainda assim era um espinho nos pés dos nazistas. Durante uma série de incursões da Gestapo na Orquestra Vermelha, Guddorf tentou escondê-la, mas ela foi presa em 11 de outubro de 1942. Buch foi, então, acusada de traduzir um artigo destinado a trabalhadores escravos para o francês.

Helene Gotthold era uma Testemunha de Jeová. Sua igreja estava desacreditada e desprezada pelas autoridades nazistas por seu pacifismo e sua lealdade firme a Deus e para nenhuma outra autoridade. Testemunhas de Jeová se recusaram a jurar lealdade a Hitler, usar a saudação nazista ou servir nas forças militares alemãs. Como resultado, mais de 10.000 Testemunhas de Jeová acabaram em campos nazistas, onde eram excepcionalmente maltratadas. Gotthold havia sido presa por sua fé, em 1937, e havia abortado como resultado dos espancamentos da Gestapo, mas, em fevereiro de 1944, estava de volta a uma prisão nazista, ao lado do marido. Seu crime, desta vez, era estar ajudando objetores conscientes a se esconder da polícia e manter as reuniões das Testemunhas de Jeová, especificamente proibidas no Terceiro Reich.

Duas vistas do paraíso

No verão de 1942, o Ministério da Propaganda de Joseph Goebbels realizou uma grande exposição no Lustgarten, o parque formal na Ilha dos Museus, no centro de Berlim que Hitler pavimentou e transformou em um espaço para comícios políticos e desfiles militares. A exposição exibia o título irônico: "O Paraíso Soviético". Esquadrões de jornalistas nazistas, fotógrafos e cinegrafistas foram enviados para a ocupação do oeste da Rússia quando a Wehrmacht avançava para o leste. Sua missão era coletar evidências da pobreza, sordidez e miséria da vida cotidiana na URSS, sob o domínio de seus mestres judeus-bolcheviques. A exposição foi um grande sucesso e foi vista por mais de 1,3 milhão de visitantes, a maioria dos quais voltou para sua casa feliz por morar em um Estado totalitário alemão e não russo.

Não muito longe, no entanto, em Kurfürstendamm, um pequeno grupo de manifestantes escolheu discordar. Em 17 de maio de 1942, eles distribuíram pôsteres com a legenda: "O paraíso nazista - guerra, fome, mentiras, Gestapo. Quanto tempo mais?". Um dos manifestantes era Liane Berkowitz, de 18 anos. Ela foi rastreada pela Gestapo e presa em setembro daquele ano, acusada de ser membro da Orquestra Vermelha. Nesta fase da guerra, houve diversos grupos e muitos indivíduos na Alemanha que se sentiram movidos a criticar abertamente o regime nazista. Eles estavam mal conectados, mas era adequado para Goebbels e a Gestapo varrê-los sob uma bandeira, o que sugeria que todos eram comunistas e agiam de maneira orquestrada.

Oposição comunista e espionagem

Havia alguma verdade na alegação nazista de que os oposicionistas na Alemanha eram agentes soviéticos. O Partido Comunista da Alemanha (KPD) foi rapidamente esmagado, em 1933, junto com todos os outros partidos políticos, mas Moscou ainda tinha seus apoiadores e agentes dentro do Reich. Alguns deles eram mulheres e vários deles foram além de atos de dissidência para cometer espionagem e traição. Já em 1935, Liselotte Herrmann havia sido exposta como agente soviética. Uma comunista de seus tempos de escola que em meados da década de 1930 trabalhou como secretária e datilógrafa no serviço de engenharia de sua família. Lá, teve acesso a contratos e documentos que revelavam a expansão maciça da loja clandestina de armamentos em Celle, perto de Hannover, e o desenvolvimento da Dornier Empresa de Aeronaves, em Friedrichshafen, no Lago Constança. Cópias destes documentos foram encaminhadas a agentes comunistas na Suíça e na França até as reuniões de Liselotte serem descobertas pela Gestapo.

Durante a guerra, várias mulheres alemãs de origem comunista levaram suas atividades de oposição a um nível superior. Ursula Goetze, uma antiga jovem comunista, iniciou sua carreira na resistência organizando e distribuindo comida e roupas para famílias judias e para as esposas e filhos de presos antinazistas durante a década de 1930. Pouco antes do início da Segunda Guerra Mundial, ela foi a Londres visitar alguns amigos judeus, mas, em agosto de 1939, ela deixou a relativa segurança da Inglaterra para retornar à Alemanha. Ela acreditava que era seu dever resistir à guerra que Hitler estava claramente planejando. Seu apartamento em Berlim se tornou uma base por ouvir transmissões estrangeiras, transmitir informações oposicionistas e encontrar contatos. Ursula também participou do Protesto do Paraíso Nazista, em 1942, assim como Hilde Coppi, uma antiga filiada do KPD, cujo apartamento era outra importante 'estação de escuta' de notícias e mensagens da Rádio Moscou.

Ernestine Diwisch foi uma das várias mulheres alemãs envolvidas em uma organização chamada Conselho dos Soldados, que operava na Áustria alemã durante a guerra. Na adolescência, Diwisch tinha sido membro dos Falcões Vermelhos, um grupo comunista de jovens, e manteve-se leal ao KPÖ ou Partido Comunista da Áustria. Em 1942, ela trabalhava em uma fábrica de aeronaves em Wiener Neustadt, ao sul de Viena, mas permaneceu ativista política. O Conselho de Soldados produziu panfletos e um pequeno jornal que tentava incentivar os homens da Wehrmacht a desertar e se filiar aos grupos comunistas. Isso levou à sua prisão em maio de 1943, quando ela foi acusada de alta traição e 'apoio ao inimigo'.

Espiãs femininas

Várias mulheres alemãs realizaram atividades que eram claramente espionagem. Käte Niederkirchner foi expulsa da Alemanha em 1933 por ser comunista e uma organizadora de sindicatos. Ela, então, se mudou para a União Soviética. Nos primeiros dois anos de guerra, trabalhou em transmissões em alemão para a Rádio Moscou e esteve envolvida no interrogatório e na 'reeducação' dos prisioneiros alemães de guerra. No entanto, determinada a fazer ainda mais para deter os nazistas, em outubro de 1943, lançou-se de paraquedas na Polônia, levando informações para o movimento de resistência na Alemanha. Infelizmente, a caminho de Berlim, caiu nas mãos do SS e se viu num campo de concentração em Ravensbrück.

Libertas Schulze-Boysen e Elisabeth Schumacher foram presas por registrar informações sobre crimes de guerra nazistas cometidos contra os judeus, prisioneiros de guerra inimigos e populações civis em territórios ocupados. Ambas conheceram agentes soviéticos e transmitiram informações como parte de sua missão e Schumacher foi uma das várias oposicionistas que tentaram informar os soviéticos sobre Operação Barbarossa.

Ilse Stöbe, uma ex-nazista convertida, e a alemã-americana Mildred Harnack foram presas por entrar em contato com agentes soviéticos com o mesmo objetivo de alertar Moscou das intenções de Hitler no Oriente. Embora inocente de qualquer crime, a mãe de Stöbe também foi presa ao mesmo tempo. Ela terminou seus dias em Ravensbrück.

O Círculo Solf

Em 10 de setembro de 1943, a educadora progressista Elisabeth von Thadden, que apareceu no início deste capítulo, realizou uma pequena festa para amigos em seu apartamento em Berlim. A maioria dos convidados estava conectada de uma maneira ou de outra com a elegante senhora de 55 anos que parecia estar no centro de toda a conversa naquela noite. Era Johanna Solf, viúva de um distinto diplomata do Império e dias de Weimar. Desde 1936, ela e sua filha Lagi, condessa von Ballestrem, realizavam reuniões ocasionais com amigos afins para discutir "o problema Hitler" e as implicações perigosas de suas políticas. Com o tempo, elas usaram sua influência e contatos para esconder amigos judeus e fornecer-lhes dinheiro e documentos necessários para escapar do Reich. Em 1943, o círculo ao redor das mulheres Solf também estava discutindo o futuro da Alemanha após sua inevitável derrota, com outro grupo de dissidentes da classe alta. Elas se reuniram em torno de Helmuth Graf von Moltke, proprietário de terras, jurista ilustre e portador de um dos nomes mais reverenciados da história alemã. O grupo de antinazistas de Moltke se reunia longe dos olhares indiscretos em sua propriedade em Kreisau, na Silésia Prussiana.

Dr. Reckzeh

Um dos convidados naquela noite era um novo rosto para o grupo, um jovem médico assistente suíço que trabalhava no hospital de Charité sob o renomado cirurgião professor Sauerbruch. Ele era charmoso, bonito, um conversador relaxado e se juntou instantaneamente aos outros convidados. Eles eram a mistura usual de uma reunião neste nível social: diplomatas, intelectuais e empresários seniores. No decorrer da noite, o jovem Paul Reckzeh fez várias observações sobre Hitler e o progresso da guerra. Seus comentários foram o mais crítico possível em uma situação social em Berlim durante a guerra, mas ele encorajou os outros no apartamento a confiar no jovem estrangeiro. Eles perguntaram se ele transmitiria algumas cartas a seus amigos na Suíça e Reckzeh estava muito feliz em obedecer. Suas cartas e o seus relatórios logo estavam na mesa de Heinrich Himmler.

O Dr. Reckzeh, também conhecido como Agente Robby, foi recompensado com uma promoção ao posto de cirurgião da Organização Nazista Todt, responsável por milhões de trabalhadores escravos estrangeiros nas minas e fábricas da Alemanha. Himmler agora tinha todas as informações de que precisava para varrer um grupo de conspiradores e derrotistas que irritavam a ele e ao Führer há algum tempo. Setenta e quatro suspeitos conectados aos Solfs foram finalmente presos. Johanna e Lagi fugiram para a Áustria, mas foram capturadas pela Gestapo e detidas em Ravensbrück. No entanto, um bombardeio aliado afortunado em fevereiro de 1945 destruiu todos os arquivos contidos neles e matou o "juiz executor" de Hitler, Roland Freisler. Um segundo julgamento foi organizado no final de abril, mas elas foram salvas novamente pelo caos daqueles dias finais do Reich e pela chegada do Exército Vermelho a Berlim.

O preço da resistência

Johanna e sua filha sobreviveram à guerra, embora Lagi nunca tenha se recuperado da tortura que sofreu nas mãos da Gestapo e tenha morrido relativamente jovem, em 1955. As outras 16 oposicionistas mencionadas neste capítulo foram executadas. Quatorze delas foram decapitadas por guilhotina na Casa da Morte, dentro da prisão de Plötzensee. A austríaca Ernestine Diwisch foi guilhotinada em Viena por um aparato que foi construído lá após a aquisição nazista. Pedidos de clemência foram feitos para as três mulheres mais jovens do grupo; Liane Berkowitz, 18 anos, Eva-Maria Buch e Cato van Beck, 22 anos. Esses apelos feitos por suas famílias foram todos rejeitados por Hitler, embora a execução de Hilde Coppi, grávida, tenha sido adiada por vários meses para permitir que ela desse à luz e amamentasse seu filho.

Duas das mulheres, Johanna Kirchner e Mildred Harnack, foram inicialmente condenadas a longos anos de prisão. No caso de Kirchner, o juiz Roland Freisler analisou o caso e considerou que a sentença original de trabalho duro de dez anos tinha sido muito branda. Desta vez, ela foi condenada à morte. Hitler, pessoalmente, interveio na situação da alemã-americana Harnack. Ele ficou irritado com a atenção internacional que seu caso havia atraído e os muitos pedidos de clemência feitos em seu nome. Sua sentença de prisão original foi anulada e ela foi decapitada em fevereiro de 1943, a única mulher americana a ser executada por ordem pessoal do Führer.

Käte Niederkirchner era claramente uma espiã soviética. Ela não teve julgamento e foi despejada num campo de concentração em Ravensbrück. Otto Hampel foi à guilhotina no mesmo lote de vítimas que sua esposa Elise.

CAPÍTULO 20

Julho de 1944 a abril de 1945
Consequências e Retribuição

Nas semanas e meses após o bombardeio em Rastenburg, um orgulhoso Führer fez muitas referências à proteção única que havia recebido da 'Divina Providência'. Ele havia sobrevivido a quatro longos anos nas trincheiras, vários ataques de comunistas, judeus, cristãos e lunáticos, além de conspirações contínuas dentro de um exército que foi envenenado contra ele. Sobreviver ao ataque de Stauffenberg foi um momento especial de celebração e retribuição. Mas Hitler estava nada senão generoso. Ele ordenou a produção de um único Distintivo de Feridas do Führer, a ser concedido àqueles que compartilharam aquele momento especial em seu destino na sala de conferências bombardeada. Ele foi produzido em variantes de ouro, prata e preto para refletir o fato de que alguns dos destinatários estavam mortos enquanto outros sofreram ferimentos de gravidade variável. Cada distintivo era acompanhado por um certificado formal elaborado e assinado pelo exultante Hitler.

Punindo a Wehrmacht

Agora era hora de punir o exército por seu profundo envolvimento no que Goebbels havia descrito como "seu momento histórico de vergonha". Todo soldado da Wehrmacht teve que fazer penitência pelos crimes dos conspiradores oposicionistas. Todo o exército foi obrigado a prestar novamente seu juramento de lealdade pessoal ao Führer e sua tradicional forma de saudação foi abolida. Em vez disso, todas as tropas agora foram ordenadas a adotar a saudação alemã ou a nazista, proferida com a mão direita estendida. O não cumprimento desta diretiva seria considerado

CAPÍTULO 20

um sinal de traição latente. Muitos *Kameraden* no front, mais tarde, relataram como seus oficiais leram a ordem e, em seguida, casualmente se desligaram da Wehrmacht. Eles também foram lembrados de que era sempre prudente obedecer à decisão de saudação quando o pessoal do SS estivesse próximo.

Culpa de sangue

A indignação de Wolf's Lair foi uma oportunidade maravilhosa para um expurgo completo dos elementos traiçoeiros dentro do exército. Hitler e Himmler foram profundos na conversa sobre a melhor forma de erradicar esse espírito Zossen de uma vez por todas. As redes do SS e da Gestapo seriam ampliadas e incluiriam resistentes ativos, aqueles que conheciam atividades de resistência e cometiam traição ao permanecer calados e, por insistência de Himmler, as famílias e parentes dos infratores.

Durante os últimos anos do Terceiro Reich, o sistema legal nazista aumentou o uso do conceito legal de *Sippenhaft* ou culpa de sangue. Acreditava-se que, nos tempos teutônicos antigos, todo o clã de um criminoso culpado era responsável por contribuir para o *Wergeld*, ou compensação, devido à sua vítima. Himmler simplificou o conceito para significar que as famílias e filhos de presos conspiradores compartilhavam sua culpa por associação. Eles deveriam saber o que estava acontecendo e, portanto, optaram por não informar as autoridades. Medidas severas eram necessárias para dissuadir futuros conspiradores, argumentou Himmler, e homens submetidos a interrogatório seriam mais flexíveis e cooperativos se soubessem que seus entes queridos estavam nas garras do SS.

Punindo os Stauffenberg

Himmler prometeu apagar o nome de Stauffenberg da história alemã, toda a família foi presa, independentemente da idade ou culpa. A esposa grávida de Claus, Elisabeth, conhecida como 'Nina', foi enviada para Ravensbrück enquanto seus filhos estavam confiscados e mantidos em um orfanato distante com novos nomes. Mesmo idosos e membros bastante distantes do clã Stauffenberg se viram atrás das grades da Gestapo. O irmão de Claus, Berthold, já estava condenado, pois estava profundamente envolvido na trama de 20 de julho. Em 10 de agosto, ele foi condenado no *Volksgerichtshof* ou Tribunal Popular à morte por enforcamento. Seu carrasco era o sádico Wilhelm Röttger, que favoreceu a tradicional 'queda curta austríaca' que assegurava que a vítima sofresse uma morte lenta por estrangulamento. O outro irmão de Claus, Alexander, era um oficial duas vezes ferido na Wehrmacht, então, ficou claro que, estacionado na Rússia e depois na Grécia, ele não estava envolvido na trama contra Hitler. No entanto, ele acabou em Dachau. Sua esposa Melitta Schiller (ou Melitta Schenk Gräfin von Stauffenberg) também foi inicialmente presa no sistema de acampamento. Ela tinha motivos particulares para temer o desejo de Hitler e Himmler de punir os Stauffenberg. Uma alemã patriótica, Melitta não era partidária do regime nazista. Ela fez comentários críticos sobre Hitler em 1936, quando sua carreira como engenheira aeronáutica chegou a um fim repentino por causa de sua raça de origem. Seu excelente histórico em aero-matemática e física contava menos que o sangue contaminado: um de seus avós era judeu. Foram apenas suas habilidades únicas e bravura como piloto de teste que a salvaram do destino da maioria dos outros alemães de herança judaica. De fato, a importância dela no trabalho de guerra foi reconhecido pelas autoridades nazistas, que lhe deram várias condecorações, incluindo a Cruz de Ferro. A influência limitada de Melitta pode ter sido o suficiente para garantir que as crianças Stauffenberg 'presas' seriam bem tratadas e sobreviveriam à guerra. Leal à Luftwaffe, mas nunca a Hitler, a própria Melitta morreu nas últimas semanas da guerra de ferimentos sofridos quando ela foi baleada pela Força Aérea dos EUA.

O Tribunal do Povo

Muitos dos oficiais da Wehrmacht envolvidos na trama de 20 de julho foram submetidos ao cínico ritual de um julgamento de fachada no Tribunal Popular de Berlim. A "justiça" de Hitler era dispensada em uma câmara que era dominada por uma vasta suástica e uma busto descomunal de um Führer austero e implacável. O tribunal era presidido por Roland Freisler, que se destacou em humilhar e intimidar os algemados prisioneiros diante dele. Eles eram despidos de seus uniformes e eram ordenados a aparecer em roupas velhas e surradas, sem gravata ou cinto. O tratamento que recebiam no QG da Gestapo era, geralmente, evidente pelo seu porte e marcha. Poucas evidências eram apresentadas em tribunal pela promotoria e nada era dito pela defesa. A presença dos prisioneiros no banco dos réus era toda evidência de culpa necessária. Eles não tinham permissão para falar e, para garantir sua conformidade, eram lembrados de que seus amigos e familiares estavam sob supervisão do SS. Todos os dias os procedimentos eram filmados e as imagens eram posteriormente assistidas e apreciadas por Hitler. Nos primeiros cinco dias de agosto, Freisler processou 24 oficiais seniores e chegou à mesma conclusão em todos os casos.

CAPÍTULO 20

Vítimas e sobreviventes

As estatísticas relacionadas à eliminação são difíceis de estabelecer. Houve incontáveis mortes em campos e prisões nazistas durante os últimos nove meses da guerra que podem ou não estar conectados ao enredo de Stauffenberg. Estimativas conservadoras sugerem que cerca de 7.000 'suspeitos' foram presos e pouco menos de 5.000 deles foram executados. Conspiradores persistentes que foram mortos incluem o Almirante Canaris e Hans Oster, que foram enforcados juntos, em 9 de abril de 1945, no campo de concentração de Flossenbürg. Eles morreram na boa companhia do pastor Dietrich Bonhöffer. O general hesitante Stieff sofrera o mesmo destino na prisão de Plötzensee, no dia anterior. Dos diários e outros documentos encontrados em sua casa pelo SS, a influência moral e o incentivo que o advogado Hans von Dohnányi havia oferecido a muitos dos conspiradores havia se tornado claro. Ele foi recompensado com o privilégio de ficar pendurado por um cordão especialmente fino, de modo a não prolongar sua agonia na forca. A descoberta do envolvimento do general Witzleben em várias parcelas ao longo dos anos decepcionou Hitler. Ele gostava de Witzleben e o considerava um amigo. Como resultado, o general também foi pendurado em uma corda fina de cânhamo, mas, no caso dele, foi suspenso por um gancho de carne. Estratagema do general Fromm de matar Stauffenberg imediatamente para enfatizar sua lealdade a Hitler ganhou uma dispensa generosa do Tribunal do Povo. Em vez da morte de um traidor por enforcamento, ele recebeu a morte de um oficial por pelotão de fuzilamento.

Enquanto o SS e a Gestapo examinavam documentos que retornavam às conspirações no final da década de 1930, eles gradualmente descobriam as maneiras pelas quais Fritz-Dietlof von der Schulenberg havia fortalecido os laços entre os conspiradores isolados e os encorajava a cooperar. Ele também havia elaborado muitos dos novos regulamentos no plano falso de Valquíria. Um aristocrata, um advogado e um corajoso homem com senso de humor, foi um dos poucos acusados de falar no *Volksgerichtshof*. O juiz Freisler se referiu a ele como "o canalha Schulenberg" durante todo o julgamento. Quando Freisler distraidamente se dirigiu pelo título correto de Graf ou Conde, ele respondeu: 'Canalha Schulenberg, por favor'. Naquele momento de resistência descarada, Freisler ordenou que fosse enforcado naquela mesma tarde.

Suicídios, sobreviventes e alguma arrumação

A purga pós-Stauffenberg parece ter despertado a memória de Himmler sobre agentes em vários episódios da história nazista que nunca haviam sido devidamente concluídos. Vários nomes do passado voltaram subitamente à agenda de Himmler. Josef 'Beppo' Römer entrou no sistema prisional nazista em 1934 e parece ter sido quase esquecido. Agora ele certamente havia sido lembrado e parecia não haver mais motivos para mantê-lo vivo. Ele foi executado na prisão de Brandemburgo-Görden, perto de Berlim, em setembro de 1944. Da mesma forma, o homem-bomba da cervejaria, Georg Elser, sobreviveu à sua utilidade, se realmente já tivesse tido alguma. Nessa fase tardia da guerra, era óbvio que nunca haveria uma ligação dos agentes britânicos no centro do incidente em Venlo, portanto, não haveria necessidade de Elser servir como testemunha. Após cinco anos em Dachau, uma ordem para sua execução imediata assinada por Hitler chegou à mesa do comandante de campo. Em 9 de abril de 1945, Elser foi baleado e seu corpo foi jogado no crematório do campo de concentração.

Vários conspiradores proeminentes não deram a Hitler ou Himmler a oportunidade de destruí-los. Eles sabiam muito sobre até que ponto uma atmosfera conspiratória se espalhava pela Wehrmacht nos últimos dois anos da guerra. E eles também sabiam que seriam escolhidos para eventos de atenção especial dos interrogadores da Gestapo. Suas próprias vidas foram perdidas, mas eles poderiam salvar a vida de outras pessoas. O marechal de campo von Kluge não havia participado em nenhuma parte da trama de 20 de julho, mas ele sabia muito sobre os opositores que serviram em suas fileiras. Recordado em Berlim para uma reunião especial com Hitler, Kluge leu a mensagem corretamente e se matou usando cianeto de potássio em 19 de agosto de 1944. O general Ludwig Beck ficou ainda mais comprometido que Kluge. Ele havia renunciado como Chefe do Estado-Maior no Alto Comando do Exército em 1938, depois de muitas discordâncias com Hitler e, na aposentadoria, mantinha contato com oficiais oposicionistas. Beck tinha sido mencionado até como um Chanceler intermediário adequado em um governo provisório, se a Operação Valquíria fosse bem-sucedida. Preso sob custódia no dia seguinte à explosão em Rastenburg, Beck tentou dar um tiro na cabeça, mas fez um mau trabalho. Ele se arrastou por um momento até que um sargento armado fosse encontrado para tirá-lo de sua miséria.

O major-general Henning von Tresckow nem sequer esperou a convocação pelas autoridades. No momento em que soube que Hitler havia sobrevivido à bomba de Stauffenberg, sabia que era um homem morto. No entanto, ele não queria que sua morte ocorresse parecendo um suicídio comum, então, escolheu morrer em ação. Durante um conveniente ataque partidário, em 21 de julho de 1944, ele segurou uma granada na garganta e puxou o pino. Seus familiares lhe deram um enterro honrado na propriedade da família, em Brandenburg. No final do ano, quando seu papel como um dos mais determinados opositores ao nazismo foi mais bem compreendido, o SS o desenterrou e jogou seus restos mortais num dos poços de crematório no campo de concentração de Sachsenhausen.

Havia sobreviventes do expurgo: Breitenbuch, Gersdorff, Fabian von Schlabrendorff e Axel von dem Bussche estavam entre os sortudos cujos nomes não foram espalhados na câmara de tortura da Gestapo. Todos sobreviveram à guerra e viveram para transmitir seus relatos aos oficiais da Wehrmacht que valorizavam sua honra mais do que obediência a Hitler.

A última bala

Desde seus primeiros dias na política da Baviera, em 1920, até os últimos dias de seu Império, em 1945, Hitler havia sido alvo de dezenas de conspiradores, muitos deles desconhecidos. Alguns esperavam matá-lo com veneno, a maioria contava com balas e bombas. A maioria de seus primeiros agressores eram civis, motivados por sua política ou por sua fé e sentimentos morais, para acabar com um homem que eles desprezavam. Na última fase de sua vida, os homens que planejavam matá-lo eram quase todos soldados profissionais, mas todos haviam falhado. Não é de admirar que ele acreditasse ter desfrutado de um destino especial e invencível. Para a Alemanha, a incapacidade dos conspiradores de acabar com ele levou ao desastre de 1945. Milhões morreram nos nove meses entre a explosão da bomba de Stauffenberg e a inevitável rendição da Alemanha, em 7 de maio. Hitler se apegou àqueles últimos meses fúteis de guerra, seu Reich encolhendo, seu mundo reduzido a pouco mais do que um abrigo de bombas de concreto com cheiro fétido. Até então, acreditou em seu destino, esperando que a Providência Divina fornecesse a ele um milagre: uma nova arma de mudança de jogo, um exército de socorro, a morte de Roosevelt ou melhor ainda, a morte súbita do bêbado Churchill. Mesmo com o Exército Vermelho cercando sua capital, Hitler se recusou a remover sua peça do tabuleiro de xadrez. Talvez fosse apenas a notícia da nudez de Mussolini e de seu corpo agredido pendurado como carne em uma rua de Milão que o convenceu que havia uma maneira melhor de terminar o jogo. Quando ele olhou para o cadáver de sua esposa no sofá ao lado dele, levantou o Walter PPK na cabeça e disparou um tiro do qual nem ele poderia fugir.

JULHO DE 1944 A ABRIL DE 1945: CONSEQUÊNCIAS E RETRIBUIÇÃO

No auge do seu poder, em 1938, Hitler sentiu-se invencível e invulnerável ao ataque. Sete anos depois, tendo levado a Alemanha à derrota e à destruição, Hitler conseguiu pôr fim à sua própria vida, tarefa em que dezenas de conspiradores e pretensos assassinos tinham falhado.

Índice

Abegg, Wilhelm 79, 80
Acton, Lord 61
Amann, Max 16
Annaberg, Batalha de 48
Arco-Valley, Anton Graf von 61, 62, 64
Assner, Ludwig 42, 43, 47
Áustria 14, 42, 49, 55, 57, 61, 78, 84, 86, 93, 112, 147, 161, 184, 186,
Ballerstedt, Otto 15, 16
Baur, Hans 137
Bavaud, Maurice 37, 98, 99, 100, 101, 102, 103, 104, 105, 106
Beck, Cato van 181, 186
Beck, Ludwig 92, 129, 140, 191
Bennet, Edmund 160
Berger, Heinrich 175
Berghof 31, 33, 34, 35, 36, 37, 69, 102, 104, 141, 155, 156, 157, 158, 159, 160, 161, 162, 171, 172
Berkowitz, Liane 183, 186
Best, Capitão 123, 124
Blomberg, Werner von 88, 91
Bock, Fedor von 137, 138, 142
Bonhöffer, Dietrich 167, 190
Bonhöffer, Karl 92
Bormann, Martin 36, 157
Brandt, Heinz 143
Brandt, Karl 77
Brauchitsch, Marshal von 125, 127, 128
Braun, Eva 25, 49, 158
Braun, Gretl 158
Breitenbuch, Eberhard von 156, 157, 158, 192
Breker, Arno 131
Briesen, Kurt von 135
Brückner, Wilhelm 30

Buch, Eva-Maria 182, 186
Buerton, Len 50
Bund Oberland Corps 47
Bürgerbräukeller 103, 115, 116, 118, 120, 121, 122
Busch, Ernst 156
Bussche, Axel von dem 152, 167, 168, 192
Canaris, Wilhelm 87, 88, 92, 93, 94, 126, 127, 128, 130, 132, 170, 173, 190
Capone, Al 24
Chamberlain, Neville 92, 95, 96, 130
Chiang Kai-shek 55
Circo Krone 13, 14
Círculo de Markwitz 68
Coppi, Hilde 184, 186
Deckert, Karl 102, 104
Dietrich, Otto 29
Dietrich, Sepp 25, 48, 149, 161
Diwisch, Ernestine 184, 186
Dohnányi, Hans von 92, 190
Döhring, Anni 31
Dowling, Bridget 36
Eckart, Dietrich 33
Ehrhardt, Hermann 17, 18, 77, 78, 79, 87
Eisner, Kurt 42, 62, 64, 67
Elschner, Curt 28, 29
Elser, Georg 117, 118, 119, 120, 121, 122, 123, 124, 191
Erzberger, Matthias 15, 17
Flight from Terror (Strasser) 68
Foote, Alexander (Allan) 49, 50
Frankfurter, David 75, 76
Freisler, Roland 186, 189, 190
Frente Negra 57, 68, 69, 70, 71, 73, 123
Frick, Wilhelm 21

Fritsch, Werner von 88, 90, 91
Fritz-Dietlof, Conde 132, 190
Fromm, Friedrich 171, 176, 190
Gerbohay, Marcel 98, 100, 106
Gersdorff, Christoph von 143, 144, 148, 149, 150, 151, 153, 192
Gestapo 48, 57, 58, 64, 65, 67, 68, 70, 73, 74, 78, 79, 81, 82, 88, 102, 105, 112, 122, 123, 130, 143, 145, 159, 169, 170, 180, 181, 182, 183, 186, 188, 189, 190, 191, 192
Giesler, Hermann 131
Goebbels, Joseph 21, 32, 46, 51, 52, 53, 54, 56, 57, 58, 61, 68, 80, 90, 96, 101, 114, 117, 118, 122, 124, 135, 142, 147, 152, 153, 159, 176, 182, 193, 197
Goebbels, Magda 31
Goetze, Ursula 183
Göring, Hermann 32, 47, 53, 55, 82, 88, 104, 113, 117, 127, 150, 171
Gotthold, Helene 182
Graf, Ulrich 16
Grimminger, Jakob 103
Grunow, Heinrich 68, 69, 70, 71, 72
Grupo Executivo de Operações Especiais Britânico (SOE) 37, 144, 158, 160, 172
Grynszpan, Herschel 77
Gubbins, Colin 159
Guddorf, Wilhelm 182
Guderian, General 140
Gustloff, Wilhelm 75, 76
Gutterer, Leopold 100, 101, 102
Halder, Franz 92, 126, 127, 128, 138
Halem, Nikolaus 48

ÍNDICE

Halifax, Lord 114
Hammerstein-Equord, Kurt von 128, 129, 132, 135
Hampel, Elise 179, 180
Hampel, Otto 186
Hanfstaengl, Ernst 19, 29, 30
Harnack, Mildred 184, 186
Heaften, Werner von 173, 174, 176
Heinz, Friedrich Wilhelm 87, 88, 90
Henderson, Sir Nevile 113, 114
Henlein, Konrad 85, 95, 96
Herrmann, Liselotte 183
Hess, Rudolf 12, 16, 17, 136
Heydrich, Reinhard 58, 64, 101
Himmler, Heinrich 53, 58, 64, 124, 127, 140, 169, 170, 171, 172, 173, 176, 195, 188, 189, 190, 191
Hindenburg, Marechal de Campo 21, 29, 32, 43, 46
Hirsch, Helmut 72, 73, 74, 75
Hofbräuhaus 11, 12, 13, 14, 15, 16, 18
Horthy, Admiral 85, 87
Höss, Rudolf 48
Hotel Adlon 28
Hotel Excelsior 28
Household, Geoffrey 37, 159
Igreja Garrison 46
Incidente de Kaiserhof 27, 29, 30, 31, 32
Jodl, General 136
Keitel, General 134
Kirchner, Johanna 182, 186
Kleist-Schmenzin, Ewald von 92
Klintzsch, Hans Ulrich 18
Kluge, Marechal de Campo von 142, 191
Kordt, Erich 129, 149
Kriebel, Hermann 17
Kripo 64
Kristallnacht 77, 88, 112
Lanz, General 140
Liga da Baviera 15
Linge, Heinz 141
Loewneheim, Walter 65
Low, David 50
Lubbe, Marinus van der 44
Ludwig III 42
Lutter, Karl 43, 44
Manstein, Erich von 79, 171
Manziarly, Constanze 31

Mason-Macfarlane, Noel 108, 109, 111, 113
Maurice, Emil 12, 16, 17, 25
Mein Kampf 12, 14, 33, 93
Menzies, Sir Stewart 114
Molotov, Vyacheslav 50
Moltke, Helmuth Graf von 185
Morell, Dr 142, 161
Mylius, Dr Helmut 77–8
Niederkirchner, Käte 184, 186
Niekisch, Ernst 67, 68
Ninho da Águia 36
Noite das Facas Longas, A 89, 103, 129
Olbricht, Friedrich 166, 176
Operação Barbarossa 136, 137, 141, 166, 184
Operação Cônsul 15
Operação Foxley 159, 160
Operação Valquíria 170, 171, 175, 191
Organização Cônsul 77, 87
Orpo 64, 65
Orquestra Vermelha 49, 182, 183
Oster, Hans 88, 89, 90, 92, 126, 127, 128, 130, 132, 139, 169, 173, 190
Partido Comunista Alemão (KPD) 19, 20, 22, 40, 41, 44, 47, 48, 53, 65, 67, 74, 75, 117, 130, 183, 184
Partido Nacional dos Trabalhadores Alemães (NSDAP) 14, 16, 22, 23, 25, 27, 29, 42, 47, 48, 52, 53, 54, 55, 57, 68, 75, 87, 100, 104, 108, 130, 168, 179, Polônia 50, 95, 112, 113, 114, 123, 126, 129, 139, 151, 184, Pomerânia 22
Raeder, Almirante 91
Rath, Ernst vom 77
Rathenau, Walther 17, 87
Reckzeh, Paul 185
Reich Main Security Office (RSHA) 64
Reiter, Marie 'Mitzi' 49
Remer, Otto 176
Ribbentrop, Joachim von 50, 125
Rogue Male (Household) 37
Röhm, Ernst 22, 55, 57, 58, 59, 60, 69
Römer, Joseph 'Beppo' 47, 48, 191
Rommel, Erwin 163
Röttger, Wilhelm 188

Sauerbruch, Professor 185
Schacht, Hjalmar 92
Schlabrendorff, Fabian von 138, 140, 142, 143, 144, 145, 148, 149, 151, 192
Schleicher, General von 129, 133
Schmeling, Max 80
Schmidt, Herr 88, 90
Schreck, Julius 25, 69
Schulenberg, Fritz-Dietlof von der 134, 135, 190
Schulze-Boysen, Libertas 184
Schumacher, Elisabeth 184
Solf, Joanna 185, 186
Speer, Albert 110, 114, 131, 132
Speidel, General 140
Sportpalast 51, 54, 80, 81
Stalin, Joseph 50, 67, 75, 130
Stauffenberg, Claus Graf von 158, 164, 165, 166, 167, 168, 169, 170, 171, 172, 173, 174, 175, 176, 187, 188, 190, 191, 192
Stennes, Walter 53, 54, 55, 56, 57, 78
Stevens, Major 123, 124
Stieff, Hellmuth 143, 145, 171, 177
Stöbe, Ilse 184
Strachwitz, Graf von 140
Strasser, Gregor 29, 57, 58
Strasser, Otto 68, 70
Streicher, Julius 72, 104
Tchecoslováquia 71, 81, 84, 85, 87, 95, 96, 112, 118, 125, 130, 166
Thadden, Elisabeth von 181, 185
Thälmann, Ernst 40
Thomas, Josef 82
Thornley, Ronald 160
Tresckow, Henning von 139, 140, 142, 143, 148, 156, 157, 166, 168, 169, 191
União Soviética 41, 49, 55, 67, 74, 100, 112, 125, 126, 136, 137, 155, 160, 184
Vuillemin, General 85
Wagner, Winifred 54
Weber, Christian 16
Weber, Friedrich 17
Welczeck, Conde von 75
Witzleben, Erwin von 92, 132, 133, 135, 136, 139, 190
Wölk, Margaret 31
Zeughaus 147, 148, 149, 150